economics | 经济读物

eco

Rules of

52 Truths For Winning At Business Without Losing Yourself

Thumb:

金玉良言

关于动荡、生存与应变

[美]艾伦·M·韦伯 (Alan M. Webber) 著

马小艳 译

中 信 出 版 社

CHINA CITIC PRESS

图书在版编目（CIP）数据

金玉良言：关于动荡、生存与应变／（美）韦伯著；马小艳译．
—北京：中信出版社，2009.10
书名原文：Rules of Thumb: 52 Truths for Winning at Business Without Losing Yourself
ISBN 978-7-5086-1650-6

I. 金… II. ① 韦… ② 马… III. 商业经营－经验 IV. F715

中国版本图书馆 CIP 数据核字（2009）第 144154 号

Published by arrangement with HarperBusiness, an Imprint of HarperCollins Publishers.

金玉良言——关于动荡、生存与应变
JINYU LIANGYAN

著　　者：[美] 艾伦 · M · 韦伯
译　　者：马小艳
策划推广：中信出版社（China CITIC Press）
出版发行：中信出版集团股份有限公司（北京市朝阳区和平街十三区 35 号煤炭大厦　邮编　100013）
（CITIC Publishing Group）
承 印 者：北京京师印务有限公司
开　　本：880mm × 1230mm　1/32　　**印　　张**：9.25　　**字　　数**：141 千字
版　　次：2009 年 10 月第 1 版　　**印　　次**：2009 年 10 月第 1 次印刷
京权图字：01-2009-3845
书　　号：ISBN 978-7-5086-1650-6 / F · 1711
定　　价：28.00 元

服务热线：010-84264000
http: //www.publish.citic.com
服务传真：010-84264033
E-mail: sales@citicpub.com
author@citicpub.com

目录

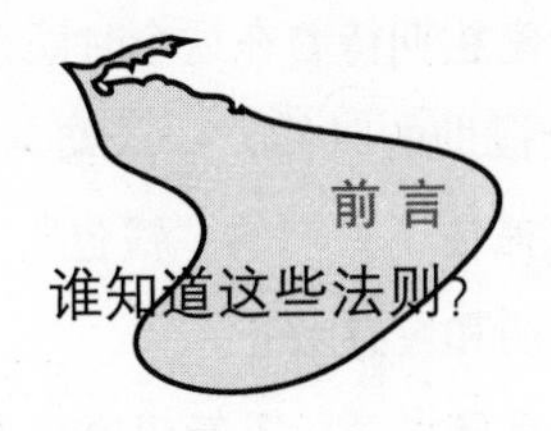

前言

谁知道这些法则?

这是一个不同寻常的时代。

工作、生活，以及其他各方面发生的变化如此迅速、难以预料，对此，我们必须有清醒的认识。

全球化、科技和知识经济推动了所有国家、行业、公司和职业跨进全新的未知领域。影响经济、政治和社会的事件频繁发生，这一切前所未有。剧烈的金融危机让世界上最发达的经济体受到了严重的破坏，声震寰宇、历代传承的老字号在一夜间轰然倒塌，消失得无影无踪。而当尘埃渐渐散去，每个行业都发现必须进行转型，以适应新形势，否则就会被淘汰。与此同时，世界各地的思想者也纷纷开始认真探索经济社会未来的新形态和新规则。

由于经济革新总是伴随着经济破坏，新

一代创业家正期待着在这个时候大展身手。就在大公司纷纷向华盛顿请求资金援助的时候，一些初创公司勃然而兴，抓住了人们的想象力——也抓住了人们的“钱包”。金融、商业领域的市场机会已经对创新、发明和灵感敞开。

一个重新思考、重新想象和重新定位什么是可能的、什么是合意的、什么是可持续的时代已经来临。

改写游戏规则的时机来了。

我们急需言之有理、行之有效的“金玉良言”来指导我们度过这个动荡的时代。这样的规则能指导我们怎样工作并帮助我们理解工作的意义；在事业和生活方面为我们指明更加合适的道路，让事业和生活完美统一；为我们自身和社会提供适当的行为准则。我们需要有益于成功的“金玉良言”——帮助我们在事业上取得成功的同时，还不会错失生命中最宝贵的人和事。

这就是本书所要讲述的内容它集合了我 40 多年来总结的 52 条规则。其间，我拜访过众多杰出人物，他们贡献智慧，帮助我从自身的经历中悟出道理。我曾与世界闻名、博学多才的领导者交流，这些人早先并没有什么名气，也不为人知；我和才华横溢的诺贝尔奖获得者面对面交谈，他们的科学发明拯救过无数人；我拜访过谦逊的社区工作者，他们从改变个人着手改变整个世界——我从他们所有人身上学到了宝贵的经验。我采访过首席执行官、精神领袖、篮球教练、小说家、商业思想家以及政府官员——这让我收获了全新的见识和来之不易的真理。

我把这些经验记录在卡片上，每天随身携带。（这个奇妙的方法是我 20 多年前从哈佛商学院的特德 · 列维特教授那里学来的，他也是本书的顾问之一。）

不久前，我对那些记录和保存下来的小卡片进行了整理。目的是进一步理解我所学到的规则。我开始在卡片上写字，直到写完第 52 条。这时，我停了下来。这不是因为规则已至穷尽，而是因为这 52 条规则代表我最珍贵的经验，我期待与大家分享。

我希望你们能理解这些规则从何而来，所以书中的每条规则都伴随着一个故事。总体而言，这些规则都来源于我生活中四段丰富的经历：

- 20 世纪 70 年代初，我从阿默斯特学院毕业后去了俄勒冈州的波特兰市，效力于尼尔 · 戈德施米特市长，加入了他组建的忠心耿耿、思想前瞻的市府团队以及全市各处的激进社团。通过社团的努力，如今的波特兰市已经变成了城市建设的样板。这些经历使我得到了某些方面的教益，比如城市规划、选举政治以及变革的艺术。
- 20 世纪 80 年代，我加入了特德 · 列维特组建的富有创意和朝气的《哈佛商业评论》团队，我们的目标是彻底改造这家声名显赫的杂志，在最高层面上改变商业对话。我在商业管理，以及最佳思考与最佳实践相结合的艺术等方面受到了教育，而且是免费的。
- 20 世纪 90 年代，我与比尔 · 泰勒合伙，组建了一个勤奋努力、快速思考、热爱探索的团队，创立并编辑《快公司》杂志，后来它成了美国历史上发展最快的商业杂志。这段经历培养了我的企业家精神和领导才能，是我做过的最艰辛的事情，而从中获益也最为丰厚。
- 2000 年，我离开《快公司》杂志，担任 KaosPilots 学校的顾问，研究新观点、新方向和新经验，这是一所培养社会企业家的学校，位于斯堪的纳维亚半岛；而后，我担任 Waldzell 会议的主席，该会议的举办地点为历史上著名的奥地利梅尔克大教堂。这期间，我成了一个没有官职的部长，一个自由旅行者，游历各国，广泛交流，进入到一个学习别人长处、增长 3 见识的新境界。

然而，本书并非我的自传，它是为你而写。

《金玉良言》的意旨完全在于激励和引导你，希望对你有所启发和帮助。以任何你喜欢的方式阅读它、使用它吧。这是一本关于规则和忠告的书籍——但对于如何阅读本书却没有任何既定的规则。

你可以从规则 1 开始，按本书的编排顺序一直读到规则 52。

就像在工作和生活之间不断穿梭一样，你也可以随意翻开本书的某一页开始阅读。

你还可以每星期只读一条规则，并将阅读《金玉良言》当做一年的自我发现历程。

阅读那些对你有用的规则，跳过那些对你没用的——至少目前是这样。往后的话，你可以随时观察个人生活或世界是否发生了变化，也许曾经对你无关紧要的事情突然又变得重要起来。对你感觉有用的规则，请写下你的感想。

更重要的是，你也可以准备一些小卡片来记录自己的感悟。慢慢的，你将会发现：你对自己的经历更加关注；你将会积累自己的人际网络，学习他人长处；你将会发现对自己有益的想法，这有助于你认识世界。

你将开始与自己的人生和经验进行一次对话。当你记下最佳对话——包括你与自己进行的对话，那些小卡片将会逐渐堆积。你将会在日常生活中发现更多的“金玉良言”。

这就是为什么在本书的末尾有第53条规则。我把那条空着。你可以到www.rulesofthumbbook.com投稿或发邮件到alan@rulesofthumbbook.com。我将会收集并公布你的经验，这样我们就可以相互学习了。

最重要的是，本书：

- 讲述哪些道理行得通。
- 讲述一种学习方式，将行得通的道理运用于生活中。
- 讲述经验和观察的价值——基于过去的经历和反思。
- 讲述从自身和他人的经验中能学到什么。
- 讲述变化——以及如何理解变化。
- 讲述什么没有变化——一些能够让生活幸福和工作出色的基本原则。

我们每个人将负责总结出自己的“金玉良言”，以指导我们走过这个动荡的、含有诸多不确定因素却又蕴含机遇的时代。我们必须扮演思想家、实干家、老师和学生等诸多角色，为自己作出最好的决策。

我们可能走在不同的人生道路上，但一路上大家相互陪伴。我们每个人都可以总结出自己的“金玉良言”，我们可以相互学习，开创理想的未来是我们大家最美好的愿望。

规则1 越是紧张之时，越需要放松自己

故事发生在 1986 年，地点是联邦德国首都波恩。在联邦议院的一间私人办公室里，我穿着自己最好的西装三件套，系着为出席那个场合而特意购买的布克兄弟牌领带，坐在正式会议桌的末端。

受《哈佛商业评论》杂志的派遣，当时我正等着采访联邦德国前总理赫尔穆特 · 施密特。我事先把要提的问题列在一叠黄线拍纸簿上，为的是一目了然。我插上录音机的电源，把它放在一个“战略性”的位置——我认为施密特总理会坐的那张椅子一旁的桌子上。录音机的位置我事先估计过，很合适，我可以一边微笑着注视施密特，一边查看录音机。我需要做的最后一件事情就是端坐在那儿，整个采访过程中都保持这个姿势，不要让录音机出现故障。由于头天晚上从波士顿飞到波恩，此时的我发疯似的出现时差反应的症状，头脑里不停地出现采访过程中可能出错的环节——以及出错将意味着什么。

就在赫尔穆特 · 施密特走进会议室的那一刻，我意识到本次采

访注定会以失败宣告结束。

我的方法是错误的。

我的心态是错误的。

如果不在接下来的几秒钟里采取行动，不仅本次采访会以失败告终，而我也会遗憾终生。

先来讲一下我是怎么得到这次采访机会的。

在此次联邦德国之行的前不久，才华卓越而性格乖戾的营销宗师特德·列维特接任了《哈佛商业评论》的主编一职。我在那里的职位是助理编辑，处于职位等级的最底端。我内心中对出版界那种令人窒息的自满感到厌烦。

特德对《哈佛商业评论》的评价跟我一样，他将其描述为"唯一一本由不会写作的人为从不阅读的人而出版的杂志"。特德刚接手主编一职，就开始着手重新评估编辑职位及要求的能力，并重组编辑部门。他的待办事项清单的头一条就是从杂志社内部选出一位新执行主编，作为员工最高职位头衔。当特德面试我，问我对未来的打算的时候，我说出了令自己都感到非常吃惊的话："要是竞聘不到这个职位我就辞职！"

为了竞选执行主编，我计划了一系列的采访任务，主题是"作为首席执行官的政治家"。我将去世界各地采访一些前任国家元首，探讨领导才能——不是领导公司而是领导国家的才能。我打算从采访赫尔穆特·施密特开始，然后是日本的中曾根康弘、英国的詹姆斯·卡拉汉，最后是美国前总统杰拉尔德·福特和吉米·卡特。

正是因为有了计划，一切才显得更加疯狂。几年以前，我被德国马歇尔基金会授予了一笔奖学金，那是一个在慕尼黑进行的学习城市规划的项目，时间是三个月。我以为通过德国马歇尔基金会就能排队等到采

访赫尔穆特 · 施密特。一旦有一个政治家接受了我的采访，我就可以运用其影响力采访其他的政治家。果然，在我打电话给马歇尔基金会联系人的时候，她告诉我可以采访，但同时也提醒我采访可能不会很愉快。

“他不是一个讨人喜欢的人。”她告诉我，“很难采访他，因为他看不起问他问题的人。还有，”她爆料说，“他吸鼻烟。”

尽管如此，她要我发给她一份用《哈佛商业评论》的信笺纸书写的正式申请函，以便她可以转发给联邦德国政府相关部门。在我的采访申请得到批准后，那位朋友告知我采访的日期、时间和地点，这样，我就即将对那位出了名的难对付和吸鼻烟的总理进行采访。

我坐在那儿盯着录音机和黄线拍纸簿的时候，这一幕幕的情景又浮现在我的脑海里。

如果我把这次采访搞砸了，特德 · 列维特会怎么想？

这会对我竞选《哈佛商业评论》的执行主编产生什么影响吗？而对于眼前来说，如果赫尔穆特 · 施密特觉得我的问题很愚蠢，叫我走开怎么办呢？

要是录音机出故障了怎么办？我看着它躺在那里，仿佛伺机让我难堪，我感到压力从胸中升起。

这时，我从衬衫口袋里拿出笔，仔细写下为自己准备的新提示语。我把新的提示语写在黄线拍纸簿的最上面，这样，在采访前以及采访进行中，我的眼光就能在那儿停留片刻：“放松！微笑！这是祝福、奖励和荣誉，而不是必须接受的惩罚。”

多少人能有机会和一位世界领袖坐在一起，并向他提问呢？多少人能目睹项目提议——不管什么样的项目——得到批准，然后实施呢？

我应该清楚的是：能在那个地方是多么的幸运。我告诉自己：享受这个过程，放松一下。希望赫尔穆特 · 施密特也能享受这个过程，并真实地看待它：这是一次特别的经历。

我刚刚在黄线拍纸簿上写完给自己的提示语，门就打开了，施密特走了进来。

我们握手。我介绍了自己以及本次采访的内容。我作好准备，打算提第一个问题。但是，在切入正题前，我冲他微笑了一下，他也笑了。

感言

戴明提出了现代全面质量管理的14点计划，并因此而出名。我经常思考的是第8点："只有排除恐惧，才能够高效率地工作。"

他没明确提出来的是：这需要从自身做起。

任何时候，如果带着恐惧的心理履行任务，你至少是一个双重失败者。首先，你将工作涂上恐惧的色彩，这增加了失败的概率。自信和沉着是战胜恐惧的法宝。其次，你肯定不会享受这段经历。无论成功与否，你难道不想在记忆中留下一段愉快而不是一段备受折磨的经历吗？

因此，当你感觉有一股似曾相识的不快情绪从胸中涌起或堵在心窝的时候，记住规则1。别让恐惧阻挡你成功做完一件事，想想看，你曾经是多么向往那件事。规则1与其他每个规则都息息相关。花一秒钟的时间微笑吧！好好享受本次旅行！

规则2 做生意就像竞选公职，选民定输赢

时光回到1999年，我受邀参加时任参议员的比尔 · 布拉德利举办的一次特别演讲会，他当时在竞选民主党提名总统候选人。集会在肯尼迪政府学院的小棚屋举行，我之所以去那里是因为我仰慕作为选任官员、篮球运动员以及密苏里州老乡的布拉德利。

一番客套的寒暄之后，布拉德利闲聊了一会儿，他首先说到的是肯尼迪政府学院对此次集会设定的一些前提条件。

布拉德利说，“他们给我打电话的时候说，‘我们是一所爱国的学校，所以不得不问你一些问题。你拥护《美国宪法》吗？’我说是的。他们问，‘你支持宗教信仰自由吗？’我说是的。他们问，‘支持集会自由吗？’我说是的，我支持集会自由。他们问，‘支持言论自由吗？’我说是的。‘不错，’他们说，‘因为你即将进行一场自由演讲。’”

布拉德利的开篇笑话真实反映了美国政治观念的核心，提醒企业

和政治家必须经受同样的测试——美国特征测试。不管你是否意识到，开公司就像竞选公职。你是一个“竞选”经理，每天都在努力争取美国消费者的选票。在任何竞选中，知道“选民想要什么”这个问题的答案将会显著地增加你获胜的概率。

那么，美国选民想要什么？

第一个也是最根本的特征是：美国人特别实在。我们想要有用的东西。大多数情况下，我们把哲学、玄学和抽象概念方面的争论留给别人。我们美国人以圆满完成某件事情的能力而自豪。我们承诺使命必达，也期待产品和服务能达到要求。

第二个美国特征是适应能力。在全世界所有国家中我们显得独树一帜，因为我们坚信所有事物，包括我们自己，都可以变得更好。我们美国人提出了：“每一天，一点一滴，我变得越来越好。”我们倡导各行各业都可以自我提高。在美国，每个人都可以变得更优秀、更聪明，都可以进步的观点就像计算机固定的程序一样植入我们的民族意识里。所有正在运行的1.0版本随时准备换成一个更强的2.0版本。所有事情都可以做得更好。

第三个特征是美国人一直以来都对创新着迷。有什么新鲜事物，下一步是什么，什么是前人从未做过的——美国人本能地关注这些事情。如今，各行各业都在强调创新是每家公司通向未来的道路，这显然有些陈词滥调，但是公司及其领导者声称创新并没有错。创新是纯美国式的东西，这可以追溯到美国的创新先驱之一——本杰明·富兰克林。

选民想从我们的公司得到什么？

我们想要有用的东西。我们想让它们变得更有用。我们在寻找不仅更有用而且更新颖的东西。这三个特征不是彼此排斥，而是互补的。

你准备好选民想要的东西了吗？

感言

你在做生意——这在某种程度上意味着你每天都在竞选公职，每一张选票都很重要，你每天必须向客户证明你值得他们投票。你必须向他们表明你渴望得到他们的选票，你关心他们，你关心他们所关心的事情。

他们关心什么？

- 它有用吗？
- 能否让它变得更有用？
- 它不仅更有用，也更新颖吗？

对照这张写有美国特征的记分卡，衡量你的经营理念和经营业绩。如果你的得分很高，你就占有先机，你就能赢得美国市场的青睐。

规则3 先提最后一个问题

在第1期《快公司》杂志中，刊登了摩立特咨询公司的共同创始人兼首席执行官马克 · 富乐写的一篇言辞犀利的文章，名为《商场即战场》。

文中，标题为“第二部分，公司为何会失败”的内容，使我受益匪浅，终生难忘。文章是这样写的：“越战前后，大公司和军方使用的战略方法是一样的。两者都在制度的驱动下筋疲力尽，这注定导致失败。极具讽刺意味的是，越战中，美国打赢了每一场战役却输掉了整场战争。多数军事史料对于美国在越战失败的原因上看法一致：军方没有统一的战略思想和对于胜利的明确定义。

没有对于胜利的明确定义，这就是教训。

如果没有对于胜利的明确定义，怎么知道自己何时——或是否——会赢？而更为重要的是，你怎么知道自己有没有参与战斗？

如果没有对于胜利的明确定义，你如何配置资源和人力？你会坚持多久？你怎么知道在某个时候自己已经达到目标？

我将此事记在心头，对照自己刚起步的杂志：我们对胜利的定义是什么？我们怎样才能知道杂志办得好还是不好？每一期都会办得好吗？

比尔 · 泰勒是我创办《快公司》杂志的合伙人，我认为我们没必要立志做一家规模最大、发行量最大的杂志。我们希望做一家赢利的杂志，但是，我们并不想立志做最赚钱的杂志。

不在于赚钱多少，**而在于影响力**，这就是我们对胜利的定义。我们希望读者读到非常实用、非常有价值、非常有影响力的文章——乐于剪辑文章的片段珍藏起来或推荐给朋友。当谈到商业的未来时，我们希望我们的杂志是读者最先想到的——而不是最后。在读者反馈方面，哪怕我们一期杂志只发表了一篇触动读者神经的文章，那么这期杂志就算是成功了。我们持续跟踪读者的反馈邮件，对于获得最多反馈的文章我们都作了标记。有些读者会很有感触地写道："你们是怎么知道我在想什么的？"这时，我们便知道我们的杂志在影响力方面取得了成功。

然而，你可能会觉得"胜利的定义"这一说法听起来军事色彩太浓了。这没什么好奇怪的，因为马克的文章标题就是《商场即战场》。如果问"这项工作的意义是什么"，可能会令你感到自在些。换句话说，我们要努力达到什么目标，我们为什么要做这件事情？

很多种情况下，我发现，不管是考虑《快公司》要做的事情，还是某个朋友提出的一个建议，真正的答案是"我真的不知道"或"我似乎明白了——但实际上却没明白"。

问"这项工作的意义是什么"并非是有意质问别人，只不过是想弄清事实罢了。这是你能为自己，也为他人做得最好的事情。因为如果不知道工作的目的是什么，并且是真实、准确、清楚地知道，那么你将会四处徘徊，会不明不白地在某些事情上浪费时间和精力。

在你回答“这项工作的意义是什么”这个问题的时候，请倾注你的智慧和情感，然后就可以准备开工了。你会成功的。

感言

对于我来说，这是试金石。

你知道这项工作的意义是什么吗？

这个简单的问题实际上为你提供了一个对你要实施的项目进行逆向思维的方法：对于待做的工作，除非连这样的最后一个问题也问了，否则你是无法真正开始的。所以首先提最后一个问题，然后从这个问题开始，从尾至头，完成这件事情。

这是根据我的经验得出的另一个启示：不管你的第一个答案是什么，它通常都是不正确的。继续向自己或朋友提这个问题，还有你的商业伙伴以及同事。一般要问三次才能得到一个诚实的答案。而不诚实的答案是无济于事的。

我们真正明白为什么要这么做吗？

你可能会说：“为了挣很多钱。”

或者说：“为了与众不同。”

你还可能会说：“为了这两个目的！”

不要那样做，那是另外一个圈套。不要欺骗自己，简单地说：“为了以上所有目的。”提问题就是让自己上钩。当然，这样很不舒服——这就是问题所在。从钩子上挪开来会感觉舒服些，但那过于简单了，是在逃避回答一个难以回答的问题。

但是，如果你不试图回答这个难题，如果你特意回避质问自己为什么要做某件事情，你就不会知道做这件事情的正确方法，甚至不知道为什么要做这件事情。

“工作的意义是什么”这样的问题有助于你保持诚实的品性，这是开始任何新冒险的正确起点。当你到达自己设定的目的地时，它便会提醒你。

规则4 预防胜过执行

我们都对真正有用的解决方案感兴趣。在商业活动中，务实的领导都关注结果。为了强调执行的作用，商业思想领袖拉里 · 博西蒂、雷富礼和拉姆 · 查兰著有一本畅销书，教主管们怎样全力以赴抓执行。执行就是要使解决方案产生效果。

但是，如果还没有解决方案怎么办？把注意力集中在解决方案上忽略了一个基本问题：要预防问题产生。比执行更重要的是早期观察、干预和预防。意识到这点的商业领袖能够针对比执行更有效的方面。可以节省大量财力并有可能取得更好的成果。

我对这个规则的领悟应该感谢匹兹堡的比尔 · 斯特里克兰，他是我所见过的最能鼓舞人心的领导者之一。10年前在马萨诸塞州布鲁克莱恩，我在邻居家里与比尔共进晚餐。那晚，通过比尔的故事我明白了两件事情：一是比尔将改变美国，二是我和他将成为终生的朋友。

比尔说我们每个人都面临选择。

美国有很多年轻人蹲监狱不是一个秘密。事实上，美国是世界上监禁情况最严重的国家。（事实就是这样：美国服刑人数世界第一。）目前有220万美国人在服刑，每100个美国成年人中超过1个人在服刑。每8个年龄在25～29岁之间的黑人中大约有1个被监禁。在比尔的家乡宾夕法尼亚州，服刑人数达到45 000多人，自从1976年以来，这个数字逐年都在增长。

假设你纯粹以商业的观点来看待这个问题，你想知道要花掉纳税人多少钱才能把这些年轻人监禁起来，你还想知道监禁是否有意义。

去年，宾夕法尼亚州的纳税人在惩治罪犯上花了16亿美元。而且由于囚犯数量不断增加，有关方面请求纳税人再出6亿美元用于建造监狱。花了这些钱，宾夕法尼亚的好心人们得到了什么……当然很难具体说他们得到了什么。或许他们得到了一个心肠更硬的罪犯，出狱后比入狱前情况更糟糕；他们得到了一个心怀怨恨的年轻人，有犯罪前科，没有工作技能，前途无望；他们得到了一个接近50%的重犯率，这意味着一半的囚犯在被释放后的3年内将会再次入狱。而另一方面，他们可以为宾夕法尼亚州努力执行犯罪问题的解决方案而感到自豪。那是为他们而执行。

比较一下比尔·斯特里克兰在匹兹堡的曼切斯特工匠协会项目中使用的方法。比尔是位黑人，也是麦克阿瑟基金会天才奖获得者。在过去的40年中，他向学生教授了真正的教育、真正的营销技巧、真正的自我尊重和真正的未来。比尔似乎是在做着买卖希望的生意，而他的客户是一些极有可能误入歧途的年轻人，无论黑人或白人，都从他的项目中深深受益。

比尔的学校里没有金属探测器，也没有警察维持秩序。但是有对年轻人进行培训的厨艺课程，帮助他们进入美国最好的餐厅工作——也为其他学生提供最佳的膳食。

学校的墙上没有涂鸦——却展示着绘画作品、照片、艺术品，这些都是学生创作的。

学校甚至还有一个华美的音乐厅供音乐会使用，几乎所有的著名黑人爵士音乐家都曾在那里表演。比尔的团队把那些表演记录下来，制成 CD 发行，赚得的款项用于资助学校。他们收获的不仅是金钱——还有认可。比尔所从事的反贫穷、反犯罪的教育项目是世界上唯一一个获得四项格莱美奖的教育项目。

比尔的教育项目收费标准是 1 500 美元 / 人 / 年。大学应届生的就业率是 85%。

可是，比尔的教育项目关键不在于收费标准，而在于他对年轻人的生活进行干预。一切都是为了早期观察和早期干预，而不是监禁和矫正。比尔的教育项目提供预防措施，正如古语所说：一盎司预防抵得上一磅治疗。

感言

比尔·斯特里克兰的项目是非营利性的，旨在提供教育、培训和希望。但是他所运用的规则同样适用于每个公司。

这是美国全面质量运动兴起背后的根本原因——可这是发生在日本人系统地吃掉这个国家一个又一个制造行业的午餐之后的事情。当时，美国公司试图在流水线的末端进行质量检查。他们可能是在拼命地检查，一处又一处地挑毛病。但他们仍然输给了日本人，因为日本人致力于在萌芽阶段就避免瑕疵的出现。

为什么商业领袖能够在全面质量方面看清这个规则却不能在其他方面加以运用？（鉴于此，我们为什么不能在诸多公共政策方面运用这个规则？我们知道预防和早期干预对一切都是有效的：从医疗到能源政策，再到公共教育，到交通方面。但这些坚固的系统处理起来依然是那么棘手，尽管经济和社会层面都表明其他某种方法或许会更有成效、更经济。）

有些公司仍然未在一些基本方面进行早期干预和预防，例如客户服务。一些公司以劣质的服务、心不在焉的态度和粗糙的公关宣传彻底地疏远客户之后，又试图用毫无诚意的道歉来弥补。

各大公司高层往往在发现一个严重

的问题需要注意的时候，都习惯性地冷眼看待，认为问题不会在自己的任期内出现。从未意识到对问题根本原因的疏忽会增加解决问题的成本。

你可以认为这是人类天性：否认问题的存在，对不会发生或至少现在还没发生的事情存在侥幸心理。

但人类天性还有另一面，只要实践就能实现：正视事实，如实评估问题的本质，向上追溯问题的真正起因，然后卷袖大干，对问题进行早期深度狙击。

这样的解决方案不仅成本小、效果好，还能展示领导才干和一项宝贵的才能，即那种足以赢得麦克阿瑟奖的才能。

只要问问比尔 · 斯特里克兰，你就会知道。

规则5 变化是一个数学公式

有关变化的公式是这样的。一旦保持现状的成本高于变化的风险，变化就会发生，即：成本（现状）> 风险（变化）。

1970 年的秋天，我刚从阿姆赫斯特学院毕业，就与这个公式邂逅。我把行李放在蓝色野马车的后座上，驾车穿越了几乎整个美国，最后来到波特兰。

在一个灰蒙蒙的日子里，我跨过钢桥，在闹市找了个停车地，下了车，心里嘀咕着：“我不知道自己具体在哪儿，但我已经来到波特兰？”

我一年后才知道自己是在波特兰这座城市前途未卜的时候来到这儿的。另外，我也没料到我会在这里工作 10 年之久，和一位才华横溢的市长、一帮投入的同事、一个热心的社区，共同把波特兰建设成美国最适宜居住、最具有前瞻性的城市。

1970 年的波特兰呈现给世人的是一幅完全不同的画面。

当时的波特兰还是一座闭塞的城市——并以此为豪。当时，旧金山以精密的科技而闻名，西雅图作为波音的基地而繁荣，而波特兰似乎还停留在 20 世纪 50 年代的发展水平。周五晚上开着老掉牙的车子在市中心繁华街道上溜达还是一件让当地人感觉很酷的事情。波特兰以木材产业为基础，被认为是“粗人之城”，到处是无家可归的醉鬼出没的贫民窟和破败不堪的廉价旅馆。波特兰有一片高楼屹立的核心商务区，可是写字楼大都很破旧。而市政府官员们也和市貌颇为般配——1970 年，波特兰市市长和议员的平均年龄超过 70 岁。

即使是像我这样的新来者，这些情况也一看便知。

老一辈为这座城市绘制的未来蓝图是不明朗的，最重要的是，作为城市官方交通规划的综合高速公路地图不太清楚。“二战”后不久，波特兰就聘请了纽约市的主建筑师罗伯特 · 摩西设计一幅新的交通远景图。摩西为波特兰准备的是他曾经为纽约设计过的蓝图：四通八达的高速公路把城市的住宅区分割成块状。实际上，如果摩西建议的那些高速公路都建成了，那么波特兰市每 10 座房子中的 1 座便会因建设高速公路而被拆迁或是不得不紧挨着高速公路。

那是一个可能会让波特兰变成一个迷你型洛杉矶的交通远景。如果真是那样，街区就会受到汽车在其间穿梭的纷扰，市民就可能会被迫迁往郊区，城市的无序扩张就会改变这个地区。像甜甜圈中间的洞一样，波特兰被留在中间，成为穷人之城、老人之城、年轻人之城——这些人无力负担迁移到郊区的费用。

那就是当时即将被采纳的通向未来的路线图，直到一个年轻、有魅力的前法律援助律师来改变这一切，他的名字是尼尔 · 戈德施米特。

尼尔是一个地道的俄勒冈人。他在尤金长大，在俄勒冈大学读过书，当选过学生会主席。他曾就读于伯克利的法学院，在密西西比工作过，还在暑假里参加了民权运动。回到波特兰后，他曾从事法律援助工作，27 岁时竞选过市议员，为老态龙钟的领导机构注入了年轻的活力。

作为一名候选人，他反对市议院行使职责的方式——在装模作样的公开会议之前闭门讨论。他反对城市规划无视波特兰街区的需求。他尤其反对建造胡德山高速公路，即摩西的交通大规划中的第一段路，当时已经准备好开工了。

他获选市议员后请求市长给予他城市规划的职位。市长却让他负责动物管理工作。第二年尼尔宣布竞选市长。

尼尔竞选时，竞选手册封面印着他在演讲时说过的一句话："我们的城市有很多方面值得珍惜，值得爱护，也有太多闲置资源没有得到利用。"竞选活动本身就像是一堂数学课。

现状的成本是什么？

变化的风险是什么？

从胡德山高速公路说起，现状的成本是极其昂贵的：街区拆迁，空气污染加剧，更多的汽车挤进早已拥挤不堪的闹市区——这一切只为建造高速公路，环境影响报告显示公路开通后道路会越变越宽。这样做的代价是波特兰人所热爱的老城将被统统摧毁。

改变的风险——由尼尔 · 戈德施米特讲解。

他语速很快——竞争对手嘲笑他的讲话风格是"咚咚咚"。他是个匆忙的年轻人——匆忙本身就是有风险的。他是犹太人——在波特兰的某些地方，人们在悄声说着他的坏话。

在某种程度上，政治竞选为选民提供一个做算术题的机会。终于，波特兰人觉得维持现状的成本比改变的风险要高很多。通过投票，波特兰人选择尼尔做他们的新市长，他成了美国最年轻的大城市市长。

现在，如果你去波特兰，就会看到替代高速公路的是轻轨交通线。在充满活力的闹市区逗留片刻，再去参观蓬勃发展的街区。你会庆幸波特兰人把那道数学题做正确了。什么都不做的成本要比改变的风险高许多。

感言

我是在30多年以前得到这个规则的。

从那时起，我参加并记录了多项力图实现变革的活动，有些发生在政府部门，有些发生在企业。参与活动的通常都是些对事业投入的人，他们深刻认同自己的事业，确信自己是正确的，还准备在需要的时候牺牲自己的工作。

很多时候，他们都放弃或牺牲了自己的工作。

尽管并非一定要那样，但大多如此。为什么？

因为光是坚信自己是对的还不够。对手也坚信自己是对的。如果你是公司内部的变革者，由于你觉得自己是正确的，所以希望首席执行官选用你的创意，如果你有这样的想法，很可能会输。如果你把变化看成“要么是他要么是我”的角逐，并宣称将以自己的工作做赌注，此时此刻，你最好还是打点行李走人。因为最终，你会被认为是一介莽夫。

另一方面，如果你真的想赢，与其勉强

接受丢工作的事实，不如学一些可以让公式变得对你有利的技巧和策略。

首先，你要清楚自己参加的是一场持久战，而不是一场以工作为赌注的速度战。问题不在于你是否力图采取一项新战略，或者让营销部在营销方式上做一些根本性的改变，或采用一个新的招聘政策为公司招揽新人才——不管什么原因，如果你足够用心去争取，你就会用足够的心思去争取。关于变化，尤吉·贝拉只说对了一半：结束之前绝没完——其实结束只是个相对的概念。同样的斗争在企业里以及政界不断出现，眼光长远才能取胜。

其次，你要争取比对方更了解他们的措辞和论点。当我们力图改变波特兰的未来交通蓝图的时候，我们需要的不仅仅是环境方面的论据。我们必须和交通工程师密切沟通。我们必须让大家看到高速公路不仅有害于街区和空气质量，还不利于车辆通行。高速公路开通的当天便会满负荷运转的论点是对方无法反驳的一个关键事实。

总体而言，学会谈经济是一个不错的创意，如果你还不会的话。那是因为争论双方都看重有关钱的方面。如果你能证明你的解决方案花销更少、更奏效，那么你的论点就会更具有说服力。

再次，仅仅反对不好的事情还不

够——你得有更好的建议。在你试图说服老板或选民，现状对他们不是很有利的时候，这点特别管用。政治专家深知“做点儿什么”总是能打败“什么都不做”。如果你所提议的是“什么都不做”，那么“做点儿什么”会获胜，哪怕是老掉牙的事情。你或许对现状感到沮丧，但你还是应该“让火药保持干燥”，直到你准备好了细节资料：更好的论据、经济术语以及数学算式。

最后，寻找盟友。过于频繁地更换盟友会使人在论点上陷于困境——你会发觉自己孤单无助。但是，为革新和改变而奋力拼搏的举动能打破传统的界限和联盟。如果你答对了算术题，如果你在降低变化隐含的风险的同时，学会了如何分配现状的真实成本，你就会发现一些可以被争取到你这边的新盟友——那些通常被你看做“保守”或“厌恶风险”的人们。你可以争取他们支持你的事业。让他们相信你的解决方案就像他们一样保守——因为你的方案更省钱、更有效、少有未知后果，变化实际上是我们能够采取的一条风险更低的道路，也是行得通的。

学习变革等于学习变化的数学公式。如果答案正确，它就不仅是一门艺术，还是一门科学。

规则6 新机会需要再构造

特德 · 列维特说得最早也最好。他刊登在《哈佛商业评论》上的著名文章《营销近视症》认为，很多公司患有严重的“视力问题”——它们看不到自己做的是什么生意。

在特德看来，铁路系统认为自己做的是铁路生意。他们没有看出自己实际上做的是运输行业的生意。钻头公司认为自己卖的是钻头，他们的客户实际上买的是钻孔。

特德的文章标志着再构造概念的萌芽：充分发挥想象力，用另一种视野观察的艺术。再构造是一个宝贵的工具，在思考、行动和工作中启用全新视野。

随着1960年《营销近视症》一文的发表，特德为商界带来了重要一课：领导者的首要任务就是要弄清自己做的是什么行业的生意——思考一番的结果可能并非如你所想。这也是为什么需要新视野的原因。

那是大约 50 年以前的事了。现今，随着旧有行业分类的瓦解和商业边界的消失，再构造本身已经被再构造过了。现在除了问，“你做的是什么行业的生意？”还要进一步问，“你的行业的本质是什么？”

再拿特德的开篇举例来说，如今已经不能再说铁道系统就是运输行业了。其他各行业，从飞机到轮船再到互联网，只要是在运输信息，就是属于运输行业。有些竞争者走得比那还要远：Fedex 和 UPS 除了递送包裹之外，还驻扎在客户公司内部，对其整个物流操作过程进行管理。他们将把服务转化成产品或把产品转化成服务。那就是严格意义上的再构造。

再举另一运输供应商——西南航空公司为例。它不属于航空业或运输业，而属于自由行业——因为低价商业模式和实惠的服务产生了如此低的价格，以至于我们都能“自由自在地在这个国家到处旅游”。

如果你是一个新闻记者，认为自己属于新闻行业，就很有可能失业。如今新闻也成了一种商品，由此衍生的评论行业（如比尔 · 奥莱理或凯斯 · 欧博曼），甚至滑稽行业（如比尔 · 马赫、史蒂芬 · 科拜尔和乔恩 · 史都华，后者最近在美国最受信任的新闻资讯来源投票中名列第四）市场行情看好，但他们没有一个人真正处于传统意义上的新闻行业，他们的成功应归功于他们所从事的是“新闻背后”的行业。

再构造也适用于人类学：它不属于零售业、嬉哈潮流和家居装饰业，而是属于讲故事的行业：每个商店都讲述一个关于顾客的故事，一个与城市高品质的生活方式息息相关的故事，伴随着全球意识和来源真实可靠的时尚宣言。电影公司不在电影行业，甚至也不在娱乐行业，而是在品牌体验行业，是大屏幕电影、小屏幕视频游戏和没有视频的主题公园的综合体，各种类型交融在一起。

悟出行业的本质起源于再构造艺术。它不仅能在想象力再构造层面上分化你和竞争对手，而且还将悟出行业的本质的人和没悟出行业的人区分开来。

你可以告诉那些没有悟出行业本质的人：他们还在卖钻头而不是卖钻孔。堪称再构造者。家得宝公司悟出了钻孔的本质——人们对自己动手做的信心："你可以自己做，我们来帮忙。"这就是本质。

感言

我认识的一些最精明的商业思想家都是从再构造艺术开始自己的商业之旅的。吉姆·柯林斯强调卓越领导有必要从面对"生活的残酷事实"开始——换言之，就是要清楚地认识现实。

为什么观察对商业领袖如此重要?

因为当你学着用全新的视野观察，就能使自己的公司在竞争中分化出来。**你就能改变自己看待市场眼光——以及顾客看待你的眼光。**

你要怎么做?

你可以从一个非常规问题开始。不要问"我们的产品或服务是什么"，而是问"我们的产品或服务代表什么"。一个超市连锁店代表的可以是让顾客更加健康地生活，愿意花更多的钱购买有机食品；一个咖啡店代表的可以是睦邻友好，为邻近街区的人们提供一个非正式的聚会场所。从你的公司出发，检视整个行业所代表的价值，能为你的生意提供一个全新的视野。

还有一个办法：添加不同的观点。人类学家会怎么看你的公司文化？如果邀请一位漫画家来为你的公司作画，他会画出什么？当你邀请局外人谈论对你公司的印象，他们会用陌生的眼光看待对你来说再熟悉不过的事物，你会从中受益匪浅。

参观你认为领悟了再构造艺术的公司。聆听他们是怎么谈论自己和客户的。很有可能他们的谈话方式和你不一样。

这是再构造的真正益处：它不仅帮助你用不同的视野看自己，也向客户显示你看他们的视野。

客户喜欢和聪明的公司做生意，而不是木讷的公司。当你向客户展示你在用他们的视野看待他们，他们会对你的深刻理解而感到惊喜，有些事情你不说他们自己都不曾想到，他们就会认为你是真正聪明的公司——那是顾客所能给你的最高褒奖。顾客还可能会不断给你比褒奖更多的东西。

规则7 系统是解决方案

这是生态学的首要规则。

这是20世纪80年代迈克尔 · 海默发起的重组运动的原动力。

这是彼得 · 圣吉讲述变革的杰作《第五项修炼》中的第一项修炼。

这一规则几乎在迈克尔 · 波特的每本策略书籍中都有深刻阐述。

在新形势下，如果想参与竞争并取得成功，就有必要学习这种思维方式。

为了理解系统思维的重要性，我们以创办杂志为例。你会明白为什么说系统思维不是集中一切，就是分解一切。

有个经典的比喻说杂志像一个三条腿的凳子。第一条腿是编辑理念，是杂志的核心。所有文章、作品和设计构成杂志的编辑效果。（顺便说一下，系统里还有子系统：词语和设计应该互增光彩，还有造纸原料的选用也不能忽视。）编辑效果承载着杂志的热情和使命，是吸引读者的魅力之所在。

读者是凳子的第二条腿。在这方面你需要做两件事：适当的读者数量和合适的读者群体。适当的数量取决于你创办的杂志类型——细分领域型或大众话题型——还有商业模式。在我负责《哈佛商业评论》的时候，我们的读者数量大约是 20 万；在《快公司》杂志的鼎盛时期，读者数量超过了 80 万。你所吸引的读者反过来又跟凳子的第一条腿有关，即编辑理念，还跟第三条腿有关，即广告商。

广告商审视你的编辑理念，考虑你是否对他们的胃口（或他们是否能读懂你的编辑理念）。他们进一步考察你的读者：你的读者是他们想通过广告页面接触的人群吗？你的读者数量足以引起他们的重视吗？对于他们的广告商品，你的读者有购买决定权吗？有购买力吗？

简而言之，代表杂志的三条腿就是一个系统。任何一条腿失去平衡，凳子就无法站立。大约 99% 的杂志在创办的第一年就失败了——这发生在广告商重新定位广告，投放广告到网络，颠覆所有印刷出版业的三条腿模式之前。

如果一个杂志失败了，更直接的说法就是一个系统失败了——领导者不应把自己的公司看成是孤立的事物，而应看到公司的所有方面是相互关联、相互依赖的，这一切构成一个系统。

他们必须懂得并遵守系统的规则：各方面相互关联，每个方面都很重要。

事实上，当系统运转的时候，整体比部分的总和更加重要。

感言

我不是在教你如何创办杂志社。

我想说的是每个公司、每个组织内部都蕴涵着一个系统。如果你能看到这个系统而不只是单件事物，你成功的概率会倍增。

很多人考察某公司的时候注意的是它的组织机构图，或金字塔式的职能，或公司的产品和服务。

系统思考者看到的是联系而不是功能。他们看到的是过程而不是孤立的零件或最终产品。这种差别好比观察栅栏的角度，看到的是横向缠绕的刺钢丝而不是直立的栏板。

有时做一些简单的事情会有帮助，比如，画一张图并用箭头标明用其他的观察方法看不到的联系。一张画有三条腿的凳子不是一张精细的操作图，但表明了为何杂志社需要以一个系统的模式来运营。

当你试图解决某个复杂问题的时候，系统思维也能帮助你。如果你想找到某件事情为何出错的线索，像一个侦探那样思考吧：弄清所有参与者以及他们之间的关系。通常是一个系统，而不是单个的人或部门能解释问题的真正起因。

有一个趋势是肯定的：**未来属于系统思考者。**

规则8 新形势催生新种类

我花了四年时间游历世界各地，并得以同许多人交流。我从旅行经历中总结出一条规则：**解决今天的问题意味着超越昨天的分类方法。**

我参观了奥斯卡在圣保罗开办的高管培训班，看到他在街边剧院为50名巴西商界高层领导讲解为什么经营公司需要社会责任感。

我参加过一个在纽约举办的全国市长会议，旨在结束无家可归现象。我听了路易丝·凯西的演讲，她在托尼·布莱尔的领导下使长期无家可归现象趋于好转，她说军方在老兵无家可归的现象中扮演的是一个不负责任的角色，军方对这种现象不管不问。

我拜访了位于底特律的通用汽车公司总部，知道了通用的OnStar系统是怎样救济那些被困在车里的卡特里娜飓风受灾人的。

我得知美国和欧洲高管不愿被公司派往新加坡工作，因为那里的空气污染相当严重，他们难以接受这样的健康风险。

每个地方发生的故事都是一样的。如果我们坚持用原有的界限划分公司、政府和非营利组织，无疑会失败。

我们目睹政府的无能为力——无论是斯里兰卡的海啸还是新奥尔良的飓风。

纯粹从经济学的角度出发，我们看到公司在取得成功的同时，失去的却是客户和员工的信心，由于他们缺少社会责任感——无论是零售巨头还是小型食品加工厂，都是如此。

我们看到非营利组织渐渐从旧式慈善活动中转型，不再像原来那样逐年为人们提供慈善救济金，而是学会了社会企业家的混合艺术——无论是孟加拉的乡村银行还是旧金山的 Kiva.org，都是如此。

现今，我们面临的问题打破了地理界限和组织类别范畴。

在昂贵的、屡遭诟病的医疗体系中，竟有 4 800 万美国人未参保，这是谁的错？如果你坚持用旧的归类法寻找原因，那么这就是一个政府问题。但星巴克却报道其在医疗方面的花销比购买咖啡豆还多。看来这还是一个企业问题。

不断攀升的进口原油价格是谁的错？如果用片面的观点来看，那么能源成本和供应能力只是汽车行业要面对的问题，因为美国汽车消耗的原油占世界的 11%，令人咋舌。但能源还是引起战争和经济危机的一个问题，这又成了一个政府必须面对的问题。

最近我们目睹了旧类别的事物因陈旧过时而瓦解。政府全额买下即将破产的银行或帮助它们摆脱困境。公司接管即将关闭的公立学校。非营利组织创办一系列能为员工提供薪水的企业，如搬运公司和餐馆等。

旧的界限变得模糊或相互交叉。与此同时，新的解决方案变得越来越富有创意和效力。

旧类别不符合新形势的发展需要怎么办？

可以继续试着将新形势填进旧类别里。还可以发明适应新形势的新类别。一条路南辕北辙，另一条路通向创新。

感言

未来不会对犯了归类错误的人施以仁慈。

如果你把企业或组织归入错误的类别，如果你坚持错误的类别，你的企业存活时间就会变短。如果你认为自己不受这个时代的经济、社会和政治事件的影响，你就更有可能失败。要想在现今这个时代取得成功，不仅要顾及左右，更要看到四面八方。

如果你以部门或职位为出发点，认为自己高高在上的职位可以左右公司的类别，那么从一开始你就没有退路。

如果你是某跨国公司的员工（有些公司虽然只有网站，也自然而然地成了全球性公司），可是你却把公司的经营局限于某一个国家，这样无异于自取灭亡。

与此相反，当某类别突然出现在你面前时，不妨思考一番。它适合当今世界的运转方式吗？还是旧类别的残留？最近通用电气的首席执行官杰弗里·伊梅尔特就对旧类别提出了质疑。他认为人们对发达国家和发展中国家的惯性思维急需改变。如果你从北京飞往纽约，你会觉得哪个机场看起来像是发展中国家的，哪个机场看起来又像是发达国家的呢？实际上，伊梅尔特说，现在通用电气把全世界的国家分为这样几个类别：资源丰富的国家、人口资源丰富的国家，以及技术、教育发达的国家。

要善于发现新类别。如果你在一个新类别成为世俗认知之前就发现了它，你就占有先机。比如：美国观察家认为，两个人口统计学方面的新类别正在萌芽，这是在人口统计方面，自从青春期这个类别出现以来首次出现的新类别。其中一个新类别是迟到的成年期，这是因为现今年轻人在成家立业之前往往要花更多的时间探索人生和世界；另一个新类别是延长的老年期，这是因为战后婴儿潮的一代人寿命延长并拥有积极的生活态度。

新类别，新机会，新现实。

规则9 钱到手后才有定论

这条规则非常适合企业家。

毫无疑问，我们生活在一个知识经济时代。创新是企业的口号。

可那不应淡化一个基本事实，所有企业家都应深知：收到支票以前什么都不是真的。你的创业计划绝妙也好，平庸也好，只有在支票收到后，你才能实现它。你可能会成功地重塑某个行业，也可能会败得一塌糊涂。钱到手前，你不知道自己的创业计划是好是坏。钱到手后，你才知道。

在我和比尔 · 泰勒为《快公司》杂志的创业计划四处奔走募资的时候，我总结出这条规则。感悟不是来源于我们收到的第一张支票，而是来源于没能收到的那张支票。下面就是事情的经过。

我们的创业计划经过多次反复修改，我都记不清具体有多少次了。我们征求过朋友和专家的建议。我们起草了法律文件，组成一个有限责任公司，然后开始寻找第一个投资者。我们决定以每股 5 万美元的金额筹资。那是一个漂亮的整数，而且，我觉得那也是我们潜在的支持者所能承受的数目。我记得自己曾练习过这样的推销语："你今年要是不买一辆新雷克萨斯就可以帮助创建一家杂志社。"

我们的第一个目标：特德 · 列维特。

特德曾是我的老板，他现在是我的顾问和朋友。在成功改造《哈佛商业评论》这份享有盛名却一度黯淡的杂志后，他从那里退休了。那以后，我们一直来往密切。在有了创办《快公司》杂志的打算后，我也告诉过他。邀请特德做我们的第一个投资者很有意义。他有一个大名片盒，装满了世界各地成功、富有和有影响力的人物的名片。只要特德加入了，我们就可以联系他的圈中人并邀请他们投资。所以，请他来做我们的首位投资人是个不错的主意。

交谈的时候，特德冷静地看了看我们的创业计划书和法律文件。

"文件太多了。"他说。

特德就是特德。他对一切都自有主见，他的观点通常从对形式的评论开始。特德很注重文件给人的视觉印象，认为那反映了文件背后的思维方式。

"为什么不只是一句话呢？"他问，"最多一页。如果想让我投资，那些文件就应该写得短些。"

我和比尔都说就理论而言他是正确的。如果我们需要做的事情只是握一下手那就更好了。但律师认为正式的文件对双方都有好处。再说了，如果不想读完所有的法律文本，他只要在文件最后一页上面签字就可以了。

他说他需要看一下那些文件，我们离开了，心里带着一丝暖意，以为我们的第一张 5 万美元支票指日可待。

一个星期过去了。特德没有消息。我给他打了个电话。

“还没时间看那些文件呢。”他说。

我不想让他感觉有压力。我跟他说不急，在他看过以后再跟我联系。

又一些日子过去了。渐渐的，从第一次会面时的暖意变成了冷淡和不明朗的迹象。事实上，特德从未明确表示不愿投资，但他并不是很乐意的态度也逐渐明显。我明白了。那是他的钱。他过去一直是我们的朋友，在大大小小的事情上给予我们帮助，他不签支票也没关系。

从这件事情上我得到了一个深刻的教训：钱没到手前，一切都没有定论，交易还没有发生，什么事情都不是真的。

感言

常有人讲："钱拿来再说，没钱靠边站。"

钱不仅能说话，它还可以让事情发生——它能把说的话转变成行动。

这些年，我遇到过两类创业者。其中一类喜欢说话，他们告诉你所有支持他们的创业计划的重要人物。他们告诉你自己主持过的每场会议、自己参加过的每场会议，以及每个曾许诺跟他们合伙的人。多数情况下，他们的创业计划没得到实现。

另外一类为他们的创业计划准备了简短的介绍。就此为止。之后便一门心思地忙于筹资，期望有一天计划能实现。他们并非每次都能成功筹资，但也绝不对此喋喋不休。

你有必要记住金钱不是至高无上的，即便对创业者来说也是如此。

但它却是一切的开始。特别对创业者来说是如此。

所以，写句提示语贴在你的办公桌上吧："1 美元从这里开始。"

规则10 好问题胜过好答案

为什么好问题如此重要？

好问题更重要！这是吉姆 · 柯林斯告诉我的——难道有疑问吗？

不久前我问吉姆，在《从优秀到卓越》的后续工作方面忙些什么。

“我在寻找好问题。” 吉姆说。

他说，《基业长青》和《从优秀到卓越》都来源于苛求的问题，激发吉姆用大量精力进行研究和分析。

《基业长青》背后的问题是，为什么有些公司能在较长时间里生存下来并且发展良好，而有些公司表面看似不错却倒闭了？对于这个问题，吉姆和他的合著者杰里 · 波拉斯用了六年的时间进行研究，他们的研究成果最终得以发表。这本书出版后引起了很大的轰动。

他们提出切中要害的问题并一丝不苟地加以分析。在解决问题的过程中，他们欣然抛开假设和先入之见，以免被误导。在尊重问题本身的复杂性的前提下，他们为企业领导者提供了一系列答案和可操作性强的建议。

《基业长青》出版后，吉姆像一个忙碌的精灵，到处寻找值得探讨的新问题。

一天，一个在麦肯锡公司做顾问的朋友顺道拜访吉姆。“《基业长青》写得不错，”吉姆的朋友说，“但有一个问题。《基业长青》论证了一个公司的“原始基因”如何至关重要——它的核心价值观和意识——到它的愿景和永续性。可这对于一个在企业创立很久以后才来公司的领导者有什么帮助？对于一个没有“愿景基因”的公司来说，希望在哪里？一家已经创办的公司如何才能做到从优秀到卓越？”

那是一个优秀的问题，而且也算得上是一个卓越的问题。

经过六年如修道士一般的潜心学习、调查和分析，吉姆写出了《从优秀到卓越》，再次改变了企业领导者对自身工作的认识。

为什么问题比答案更重要？如果没有提正确的问题，答案也就无所谓了。而如果问题正确了，不管答案是什么，你都会学到宝贵的知识。

感言

我们通过问题学习。这意味着我们通过问题进行变革。

为什么？

因为提问题是危险的。如果你生活在16世纪中期，问太阳围绕地球转还是地球围绕太阳转。光是提出这个问题就能改变整个世界——也会使你失去生命。不幸的是，不受欢迎的问题在今天仍然是致命的：去年，世界各地有48个记者被杀害，就是提问题惹的祸。

但问题也同样能为人们带来自由和解脱。正确的问题帮助科学家治愈顽疾、帮助建筑师设计出奇妙的建筑、帮助社会活动家在世界上纷争不断的地区实现和平。

问题是有用的。企业家和创新者常常通过问，“如果……会怎么样？”或者，“为什么不？”来开始对新事物的探索。

群体思维出现的原因只不过是指某些人不提本该提出的问题。

但是，为什么公司难以倡导提好问题的艺术？

企业或多或少都有点像学校：为了取得进步就必须让别人认为你聪明。研究者发现，让别人认为你聪明的最好办法，是取笑他人的问题。久而久之，提问题的目的发生了改变。企业领导者只是在已经知道答案的情况下提问题，提问题不是为了获得新见解。严肃的问题变成了反问句，提问的目的只为加强一个业已存在的偏见或先入之见。这种现象不仅存在于公司。很多事件被误认为是新闻报道或新闻分析，实际上只不过是对提问题进行的排练，目的是为了在争论中得分。

如果你想使自己的公司致力于创新，你就要成为一个提问题的公司而不仅是一个回答问题的公司。

努力在会议上提出追根究底的问题。奖励那些提出重要问题的人。有勇气提出前所未有的问题，将自己的想法昭示天下——正是通过提问题你才能明白，你将会发现一些新关联并创建疑问的新种类。用示例问题装点你的会议室墙面。赞扬在解决公司难题中起了很大作用的示例问题。练习询问没有最终标准答案的开放式问题。

你未知的事情并不能给你和你的企业造成伤害。但你不想花心思去提出问题可能会伤害你。

提问题可能是危险的。

不提问题可能是致命的。

对此，有何疑问吗？

规则11 从不可兼得，到同时拥有

在昔日的芬威球场上，波士顿红袜队的球迷们用交替呼喊的方式自娱自乐。

露天看台上喧闹的人群开始呼喊："不胀肚！"

主看台上的人群回应着："好口感！"

"不胀肚！"

"好口感！"

这种呼喊持续着，重复着，直到赛场上发生了点事情，打断了球迷们的游戏。

当然了，这个是当年流行的米勒淡啤广告，播放的是一对退役运动员争论各自认为喝米勒淡啤的真正原因。

我认为这个广告既有趣，又意义深远，虽然只是退休运动员假装为啤酒争吵，但它在某种程度上折射出当时世界运转的方式：你必须作出选择，那是一个必须有所取舍的年代。

20 世纪 80 年代，我曾为研究一本关于日本对美国汽车行业构成挑战的书而拜访丰田市。就在那时，我的观点改变了。很明显，日本人做了一些与众不同的事情，才得以战胜底特律的三大汽车巨头。他们做了些什么事情？是政府在制定产业政策方面扮演的角色吗？是供应商在给汽车制造商提供配件的过程中扮演的角色吗？是在装配汽车的过程中科技和自动化发挥的作用吗？是人力资源部在激励工人方面扮演的角色吗？解密日益增强的日本优势——同时也令人费解——的唯一方式就是更近距离地观察。

作为哈佛商学院的研究员，我被授权接洽丰田高层以及日本其他制造商。但由于日本人一贯谦恭有礼，采访很快变成了一种非正式的、不提供任何信息或资料的方式。一个穿着制服、戴着白色手套的“电梯女孩”把我领进一个无菌室，她给我倒了杯咖啡后就消失了。随后汽车厂一个文质彬彬的主管出现了。我们互相鞠躬、交换名片后，采访就开始了。我回顾了事先准备好的一些战略性问题，以探究在丰田日益增长的强劲势头背后各种各样的原因：公司与工会的关系如何？与雇员的关系如何？与当时势力强大的国际贸易和工业部关系如何？

丰田主管如实地背诵了早已准备好的答案——他给所有从美国来丰田城寻求原因的采访者都是同样的答案。

其中一个原因是，丰田要求他们的雇员在申领一只新的铅笔前要把原来的铅笔用至很短的小截。

我如实记下这个原因。但觉得他肯定是在开玩笑——要不就是译员翻译错了。难道丰田打败了福特、克莱斯勒和大众是因为铅笔吗？

另一个原因是丰田与其供应商关系密切，以至于配件都是即时送达装配车间的。

我也记下了这个原因。但即时生产系统或日式经连会结构也不是什么新鲜事物。

采访结束后，他们带我参观了装配车间。就在那时我知道了真正的原因——这是其他采访项目无法表现出来的。

装配线呈现了丰田的真实风貌。

我能看出人机工程学与质量工程学相互作用的结果，前者节省成本，后者产出品质优良的汽车。问题的关键是，不是在两者之间进行取舍——而是两者兼得。丰田系统产生了高品质和低成本。这就是改变汽车竞争格局的因素。

在原有的格局中你不得不作出选择。如果选择高质量，你就必须支付高价格。如果你只买得起一辆便宜车，你就必须接受低档质量。那是一个必须进行取舍的情形。丰田消除了这种情形。你可以同时拥有高品质和低价格——你可以两者兼得。

常规商业策略让世界变成一个矩阵，一个可取特征横向排列，另一个可取特征纵向排列：速度对准确率、质量对惯例、网络对印刷、虚拟对现实。常规商业策略以直线的方式解读矩阵：你必须选择自己想优先考虑的特征。

参观丰田装配线之后，我在不停地排列矩阵——但我是从对角线开始解读它们的。这甚至对《快公司》杂志的定位有所帮助。《哈佛商业评论》是教育性的杂志，不具有娱乐性；《财富》以及其他一些商业杂志提供娱乐却不提供商业教育。《快公司》杂志将矩阵从对角线切开：我们的定位是教育娱乐商业类杂志。

斯柯特 · 菲茨杰拉德说过，“测试一流智商的办法是，看头脑中是否能同时容纳两种相互对立的观点，在这种情况下看大脑是否还能正常运转。”他基本上是对的。

这实际上是对一流商业策略的测试。

感言

当你面对难题，你会追随自己的头脑还是心灵呢？

如果你选择了其中之一，那么我很抱歉地说你还没领会这个规则的要点。在决策过程中，运用两者兼得的观点能让你力量无穷。

与其对头脑和心灵作出取舍，不如选择：移入感情的头脑或合乎逻辑的心灵，怎么样？

这种世界观是需要实践的，但定义企业家和创新者的其中一个因素是产生新视野的能力。那意味着以一种全新的视野破解问题，那意味着摈弃旧的两者不能兼得的观点，以及发现新的两者可以兼得的合成体。你会在操作对角线的过程中体会到这一点。你将学会沿着一条新线切割问题然后将其元素以一种全新的方式重组。

一个实践的方法是在日常生活中找出两者兼得的例子。你可以看到，政治家把旧政策方案重组成新的方案，就是运用了两者兼得的规则。比尔·克林顿在为民主党明确提出“第三条道路”的时候使用了这个规则。乔治·布什在以一个“慈悲的保守人士”的身份竞选总统的时候使用了这个规则。约翰 · 麦凯恩以一个“独行侠”的身份竞选总统的时候领悟到了这个规则。巴拉克 · 奥巴马提出的没有红蓝二色组成的美国——而是红、白、蓝三色组成的美国的说法也反映了这个规则。

你可以在讲述公司策略的商业篇中看到这个规则：竞争与合作合并成合作竞争；定制与批量生产合并成批量定制。保护环境运动的领导者早就认为环境永续性和经济发展之间取舍的关系是一个虚假二分法。环境责任与绿色科技的组合将为“绿色增长”开创一个新未来。

当你开始操作对角线，你就改变了格局，就像移动了象棋里的一个棋子。你开创一个新的空间，你就改变了几何学的选择。你需要做的就是实践，不久你就能在工作和生活中——或职业生涯中看到“两者”和“兼得”的情形了。

规则12 把握时机，化危为机

这是一段历史——也是一个真正的商业寓言——是一个名为列夫·埃德文森的瑞典朋友告诉我的，他是世界上首位提出知识管理概念的教授，曾在1998年获得世界最佳头脑奖。下面就是列夫所讲的故事。

从13世纪到18世纪早期，大约有500年，拉古沙共和城邦创造了奇迹。这个位于亚得里亚海岸边的由围墙包围着的弹丸之地把一系列强敌抵御在外——奥斯曼帝国、威尼斯和梵蒂冈的进犯者就位于城墙之下。几个世纪以来，西班牙和法国的统治者也对独立的拉古沙虎视眈眈。

但不知怎的，虽然城墙之内仅有5千市民，微小的拉古沙却捍卫住了自由，而且其生活水平无人能比。

拉古沙人是怎么做到的？这个问题不仅吸引着历史专业的学生，而且也吸引着商业领袖，因为后者正在思索着如何将古老的智慧转变为新的竞争优势。

答案竟然是知识。拉古沙的秘密武器是高素质的爱国大使组成的知识网络。直到 18 世纪，这个由 80 多位大使组成的网络一直被拉古沙议院安插在竞争对手制订重要军事和经济计划的法庭和港口城市。

这些大使所做的远远不止在那些可以决定共和城邦命运的至高无上的王子、主教和帕夏面前代表祖国的利益。拉古沙议院定期发给每位大使一系列具体问题：船坞的情况怎么样——是否正在装配一支新舰队？军事情况如何——是否正在招募一支新军队？如果是这样的话，有多少支军队？司令官的名字是什么？那些问题清楚而具体，需要查找的信息也十分现实。在得到大使们的答案之后，议院立即详尽准确地将他们周遭的列强会构成的威胁和带来的机遇汇编起来。

那就是他们竞争优势的源泉。在互联网出现之前的几百年，拉古沙人就发明了世界上最精密的知识网络。那是**快知识**。来自世界各地的快信给拉古沙的领导人提供了快于其他任何人的知识。知道更多、知道更早意味着他们拥有时间这个奢侈品：他们有时间去预测、去思考、去规划。而其他人，在一次次的突袭中，只能反击。拉古沙则有时间制定战略对策。

他们颇具外交手腕，很多时候都是在旁观各方互斗，从中渔利。更有甚者，他们巧妙地周旋于冲突双方。在 1571 年的勒潘多海战中，由西班牙、梵蒂冈、威尼斯以及其他基督教势力组成的神圣联盟打败了奥斯曼帝国，拉古沙的船只在两边参战——因受雇而有偿参战。

这证明根本没有好消息或坏消息的说法，只有快消息和慢消息。即使是在 1571 年那么久远的年代，慢消息就等于没有消息。

感言

快速的情报能让一个封闭的小不点共和城邦支撑数百年之久。可是，为什么众多企业把密藏知识作为运营原则，而不是共享知识？

说到原因，就不得不说到态度，态度是首要原因。我们认识或为之效劳过的某些首席执行官会自豪地宣称，“我们没有问题！我们只有机会！”

事实上，他们的确有问题——有时问题还很严重。修改问题的称谓或假装问题不存在不仅是自欺欺人，也是危险的。这就给了工作在信息前沿的人们错误的信号。通常，早期预警系统能提醒总部注意严重的问题，这对企业来说是一个求生的法宝。（如果你不相信我，可以去问拉古沙人。）但在那些自以为是、盲目乐观的公司里，发给那些前线侦探的信息跟电影《搏击俱乐部》里的第一条规则一样：搏击俱乐部的第一条规则就是不要谈论搏击俱乐部。在那些自以为是的、盲目乐观的公司里，第一条规则就是不要谈论问题。

“无问题公司”的第二条规则是，绝不成为向老板报告坏消息的人。在“无问题公司”里，惯例是对报信人表示愤怒。对于那些标榜自己在努力适应变化的公司，却否定那些向老板报告重要坏消息的人，这样的行为无异于自取灭亡。

这样盲目的自我认可方法往往产生致命的后果。群体思维以及内部异见者产生的被迫趋同心理压力可以解释历史灾难的原因，从挑战者号航天飞机发生的悲剧到美国入侵伊拉克事件，都是如此。瑞典瓦萨号战舰与拉古沙寓言故事巧妙地吻合——俨然其绝妙的翻版。

瓦萨号，一半是战舰，一半是国家的象征，在瑞典国王古斯塔乌斯 · 阿道弗斯的命令下建造。瓦萨号由瑞典最好的木材制成，于1628年8月起航。仅从泊位出发航行了一小段距离，鸣放了两响礼炮……这艘强大的战舰就快速下沉了。

是什么地方出了错？

首先，国王古斯塔乌斯 · 阿道弗斯自以为是地重新设计了战舰，修改了战舰的一些规格。额外增加了一个炮台以及一些重型枪支，为的是和同期一艘丹麦战舰媲美，国王进行了一些不受技术支持的改变。没有人愿意和国王争论。

瓦萨号下水之前，海军对其进行过一次稳定性测试：当战舰还是安全地停泊着的时候，30个人在甲板上来回地跑动。遗憾的是，人们不得不在测试完成前停下来——战舰太不稳定了，有翻船的可能。但国王却在等着这艘一流的战舰表演，所以尽管测试失败了，瑞典海军上将还是批准了瓦萨号下水。船下沉时，大约有50名海员丧生。（当然了，像那样的事情从未在公司内发生过。）

今天，很难想象任何一个以知识为竞

争武器的组织——无论是管理顾问公司、广告代理商、律师事务所、大学，还是政府机构——没有至少和拉古沙人持平的知识共享能力。如果你的机构还没有这样的网络，那就建立一个。如果已经有了，就改进它：使之更快、更集中、更实用。在一个快速变化的时代，每家公司都需要建立一个早期预警系统。把握时机，就有更多的时间将危险化为机遇。

规则13 学会接受否定的答复

这顿在旧金山举行的晚餐经过了精心安排。我的朋友恩斯特·斯科旦是个奥地利商人，乐意帮助具有社会意义的形象工程，对于我们即将启动的“改变世界”的项目，他情愿做我们的首位投资者。他建议，为使项目得以启动，我们需要举办一个创始人俱乐部，让每位投资者出资100万美元。

晚餐上，我们与第二位投资者的交易看似也即将达成，他是一位热衷社区的银行家，也是恩斯特最亲密的朋友之一。正是出于这个原因，晚餐的每个细节我们都力图做到尽善尽美。

餐厅要高雅脱俗。恩斯特在旧金山找了家传统牛排餐厅。如果光从餐厅外观来看，那正是我们要找的餐厅。那里的侍者是老道的行家，牛排的成色恰到好处。现在万事俱备，只等银行家露面来敲定这笔交易。

这是我和这位银行家第四次在商务社交场合见面。即使还算不上朋友，但我们之间的交流也很融洽。我们希望通过这次晚餐加强联系——也向 100 万美元迈进一步。

除了一个细节之外，其他事情似乎都很顺利。

从来到餐厅坐下的那一刻开始，银行家的态度就明摆着，他没有按照我和恩斯特仔细准备的剧本行事。我们的头脑中播放的是一个版本的情景剧；他的头脑中播放的是完全不同的另一个版本。他的版本更重要，他认为自己听得越多理解的却越少，对这样的项目，他提不起兴趣。

“我不知道我是否明白这个创意。”他说。如果他打算勒紧自己的钱包，就不可能在精神上有多慷慨。

我努力再解释了一遍：一个全球性的思想领袖网络，一个可以报道普通人生活的变化的项目，不断提供卓有成效的商业模式以应付日益迫切的社会问题。可以大胆预期这个项目将产生的硕果，我对他如是说。

“那当然好。”他说，“但这对我有什么用呢？这对我的银行又有什么好处呢？”

我深吸一口气，尝试以他的眼光来看待我的创意。他接二连三地提问，我努力给出正确的答案，尽量不偏离 100 万美元的投资主题。晚餐的一切都很顺利，正如恩斯特的计划——食物是美味的，酒也妙极了——除了一件事：我得到的答案是否定的。

恩斯特对此感到失望，他尽力在两个朋友之间促成一笔交易而结果没能如愿。我跟他说我学到了一个重要的规则。这对我来说无疑是一次失败，但同时也是一次重要的学习经历。

银行家是对的：我的创意有待改进。我的创意还没准备好起航。他当然知道那晚我们对他的期待。如果他做了我们期待他做的事情，他会感到轻松，恩斯特也会感到高兴，如果那样的话，他就像是给了我一个可以继续筹资的免费通行证。

可事实是他给我帮了一个更大的忙。他给了我否定的答复。

他提醒我改善自己的工作，迫使我正视那些自己不能圆满回答的问题，而那些问题看起来完全是合情合理的。更重要的是，我的回答甚至还不能让自己满意。

这样看来，他否定的答复是一个比百万美元支票更好的投资。虽然不是我想要的，却是我需要的。

感言

想成为企业家的商人都知道——或应该知道——他们有很多机会听到“不行”这两个字。失望或否定的情况时有发生，问题在于你如何理解。下面是你在听到否定答复时需要记住的几件事情。

1. **说谢谢**。对“不行”的正确答复是“谢谢”。事实上，你没有得到想要的答案，但给你否定答复的人也花了时间倾听、花了精力考虑你的创意。该轮到你表现了。你要做的就是显示你获得了知识和经验，并大度地接受坏消息。如果你继续在企业家的轨道上发展，就很有可能会再次遇到这个人。说谢谢，他会更有可能记住你所展示的风度而不是你的任何创意。你虽然没有得到钱，但你的回答无异于把钱存在了银行。

2. **做笔记**。如果给你否定答复的人同时也给了你一个解释，仔细地聆听，谦恭地聆听，倾听他所说的一切——不必表示同意也不必辩解。拿出一张小卡片，记下那个人所说的任何话。你的目的或许是为了拿到投资，但那些话可能会跟金子一样贵重。你得到的是稀有之物：诚实的反馈信息。这不等同于一个朋友对你说你喜欢听的。这是一个经验丰富的旁观者在告诉你一个有价值的观点。记下来吧——这正是你的创意需要改进的地方。

3. **不要认为否定是针对你个人的。**正如影片《教父》中的那句台词，“这不是针对个人”——这仅仅是针对事情。记住，你是在争取这些人投资，而不是一个拥抱那么简单。他们并非针对你个人说“不行”，而是对你现阶段的创意说“不行”。不要混淆你自己和你的创意。你要认识清楚两者之间的距离——那样的距离可以让你听得进针对创意的逆耳忠言，并能竭力改善它。

4. **所有的祈祷者都能得到答复；有时答复是否定的。**有时否定的答复让你知道自己的创意完全行不通——无法改进，必须取消。有时某个人已经在执行你的创意了。或者某个更强大、更富有的人即将实践和你同样的创意。或者由于某些你无法解释的原因，你只不过无法为你的创意争取到足够的市场支持。几年以前，在成功创办《快公司》杂志之后，一个杂志创业者把他的创意告诉我，想知道我的看法。那是一个聪明的创意，没有行不通的理由——除了他已经实践了 3 年却没有什么进展之外。我问他还能在困境中坚持多久。他说两三年吧。我的建议是：定一个日期——具体的日期，最好是比两三年短。如果那时情况还没好转，就不可能会好转。给自己更多的时间只不过是在浪费时间。那可能会是一颗你得咽下的苦药丸，也可能会是一段最重要的学习经历，但在某些节点上，除了继续走下去之外没有什么好期待的。

以上是我与银行家共进晚餐后的感言。学会接受否定的答复可以开始一段美好的友谊——在你和你自己的创意之间。

规则14 不去不知道

在离开《快公司》杂志的第一年里，我谢绝了一切活动。

我对所有演讲说“不”。对所有会议说“不”。对所有写作邀请、工作查询、商业计划说“不”。我的妻子弗朗西丝说，那一年我躲在“床罩”下，淡出了已经营10年的《快公司》杂志。

但是，当我得知，在华盛顿特区举行的一次会议上，我和比尔 · 泰勒被美国培训与发展协会评为工作场所学习和业绩奖冠军，我无法对此说“不”。这似乎是一种安全简单的方式，让我在自愿引退后重新回到比赛中去。

接下来的事情很顺利。我和比尔在主讲台上接受颁奖并致谢。我们随后即兴举办了一场约一小时的分会，分享了我们杂志的一些题材和故事。分会结束后，我们站在会议室门口和《快公司》杂志的老朋友及热心读者一一握手。

人们纷纷走出会议室，其间有个人上前来自我介绍，与我当面交谈，他操着浓厚的阿诺德 · 施瓦辛格式的口音。

“我的名字是安德里亚斯 · 撒切尔，”那人说，握我的手，把他的名片递给我，“我来自奥地利维也纳，我想邀请你出席今年 9 月在梅尔克大教堂举行的会议并在大会上发言。小说《玫瑰之名》的灵感就来自这座大教堂，我们称之为 Waldzell 会议，这个名字来源于赫尔曼 · 黑塞的小说 《玻璃球游戏》。我们的主席是保罗 · 柯艾略。”

他的语速非常快，他的口音也很难听懂，而我丝毫没有兴趣。我最后要做的事情是想象一下飞往奥地利演讲的情形。我参加眼前的这个会议只不过是一次性的复出，并不想回到以前那种到处演讲的生活。

“我会给你发邮件。”他说，再次握我的手。

“好的。”我说，收下他的名片。

那天晚上，我清理装在口袋里的笔记以及朋友和祝福者发给我的名片。那个奥地利家伙的名片以及有关那个遥远的会议的注释被我扔进了废纸篓。那是一个没什么用的邀请函。

大约一星期后，我收到了一封安德里亚斯 · 撒切尔发来的电子邮件。

开场白就是，“我知道你可能把我的名片扔了。”

这引起了我的注意。

他回顾了他曾对我提到过的那些事情：梅尔克大教堂、赫尔曼 · 黑塞的《玻璃球游戏》、保罗 · 柯艾略的角色。

然后，他列举了一长串拟定参加 Waldzell 会议的演讲者：希林 · 伊巴迪，获得诺贝尔和平奖的伊朗律师；凯利 · 穆利斯，诺贝尔化学奖得主；甘特 · 布洛贝尔，曾获诺贝尔医学奖；卡尔 · 杰拉西，是口服避孕药的发明者；米哈里 · 奇克森特米海伊，著有影响深远的《生命的心流》；海伦 · 帕尔默，是九型人格学方面的世界权威；托马斯 · 汉普森，美国重要的男中音歌唱家；大卫 · 高德伯格，伦敦重要的犹太教堂法师，性格坦率；安东 · 柴林格，奥地利重要的量子物理学家。会议是一个全球性的、启发灵感的对话，参会的商界领袖不会超过 200 个。主题是：共同探讨工作和生活的意义。我要参加这个会议并发言吗？

我又看了一遍邮件。

《玻璃球游戏》。发行《快公司》杂志测试版的时候，我们曾做过一个书评以展示我们在定义商业书籍上的创意。那本书的名字就是《玻璃球游戏》，书评由未来学家保罗 · 萨福执笔。

保罗 · 柯艾略。我刚好读完他的名著《炼金术士》，主题是关于世人对意义的求索。现在我就被邀请参加他主持的一个会议并在会上发言。

然后是一些诺贝尔奖获得者和思想领袖。我不知道自己能说些什么才能让会议更加精彩——先不说这个，我怎能不参加这个会议呢？我必须参加。

下面是事情的经过。

我发自内心地接受了邀请。

我来到梅尔克大教堂，见到了那些演讲者，倾听了他们激动人心的故事。我忍受了几天的低度恐慌感，不知道自己作为最后一个演讲者要讲些什么。在我要出场的那天早上 4 点钟，我躺在床上，盯着天花板，灵感突然来了。我把发言内容写在一张小卡片上，那天早上，我发表了对其他发言者演讲的感言，谈了自己对科学、心灵、艺术和科技变革的看法，最后以《快公司》杂志编写的全球商业变革作为结束语——这就是我在 Waldzell 会议上的发言。第二年我被邀请为会议秘书，之后又被邀请为会议主席。我结识了新朋友，在世界范围内扩展了人际关系，我从一次意想不到的经历中获得了新知。

但那还不是最重要的。参加 Waldzell 会议之后，我开始乐意接受很多事情。乐意在大小集会上发言，乐意在知识之旅上继续前进，乐意阅读他人的商业计划书，乐意出席非营利组织的董事会，乐意做那些虽然结果未知，但却有机会认识杰出人物和获得新知的事情。

这就是我的体会。只要我乐意尝试新体验，好事情就总有可能发生。不管我到哪里旅行，总能认识新的人，总能获得深刻的新体验。现在的情况是：每次旅行后，我回到家里，不是急忙把张张名片扔掉，而是希望尽快用到名片上的电子邮件地址。在世界各地，我见到了很多人，虽然之前是陌生的，可在别人引见后就立刻成了朋友。如果我不走出去，我就不可能认识那些朋友。

感言

忙碌而又重要的人生活在气泡之中。你越是重要和忙碌，就会花更多的时间在自己的小天地之中。以一个重要科技企业的首席执行官为例。下面就是她具有代表性的一天。

早上，专职司机开着豪华轿车接她去办公室。到办公室后，司机会把轿车停在首席执行官专用电梯旁的特殊车位。她乘坐首席执行官专用电梯来到首席执行官办公所在的楼层，那里有几个行政助理守卫着她的办公室。只有经过预约的人才能到达她的内部密室。

如需出差，豪华轿车将载她去机场搭乘她的私人飞机。到达目的地后会有另一辆豪华轿车接她去参加会议。不管在哪里旅行，她都像是待在一个不透气的、密封的气泡里。

把那种做生意的方式跟丰田的“现地现物”方法比较一下。“现地现物”就是“去看看”。厂房里是否出现了一个问题需要解决，是否有必要开发一款新车以适应新市场，这些都无所谓。丰田的原则是告诉工程师、营销人员或一线工人，要自己去看看。不管多少简报或幻灯片展示，都无法替代现场观察。

“去看看”的原则向当今的普遍看法发起了挑战。各地的商务人士习惯于抱怨过多的信息负荷量：太多的电子邮件、太多的备忘录、太多的会议，但真正的问题不在于太多的信息，而是太多的封闭。商界领袖面临的挑战是要跳出密封的气泡。

事实是，什么都不能代替真实的经历。跟商界领袖探讨那些令他们记忆深刻的职业教训，那些把他们从舒适区中驱赶出来的重要经历——一场没有准备台词的会议、一次没有事先安排的旅行、一次没有事先排练的访谈。那些让领导者记忆深刻的事情也能让我们记忆深刻——行为、见闻、共享时刻、经历。同时那也意味着让新的人和事刺破安全和守旧的气泡。

被驱赶出舒适区可以体现在一些小事上，比如信息的来源。我们每个人都有自己最喜爱的、多年订阅的杂志。如果你去熟悉的街边报刊亭买一堆你平时根本不看的书刊将会如何？如果你是一个食品、时装和旅游的爱好者，可以买《大众机械》。如果你是一个铁杆体育迷，可以买《朱门巧妇》换一下口味。如果你难以想象某个杂志为什么会受到热捧，那这正是你要买的杂志。你可以自己去发现它被热捧的原因。同样的道理也适用于你常常一起共用午餐或业余一起玩耍的圈内朋友。如果你去公司食堂，尽量坐在那些你还不认识的人旁边。

最大的问题是控制。秘书在为你筛选来电，只接通有预约的人的电话。如果你宣布哪天不需要秘书，而是自己接听所有电话将会怎么样？接听那些通常被屏蔽掉的电话，看看自己能学到什么。找个非本行业的会议或讲座去听听。如果你改变自己的观点并带回新的观点，你就没浪费时间——你在开创新的视野。

世界说大也大说小也小——说它大是因为它充满了引人入胜的，甚至奇异的体验，超出了我们在自己的小气泡里的所见所闻；说它小是因为不管在哪里，你都会遇到那些渴望与你分享知识并向你学习的人。

世界如此精彩，为什么要待在狭小的舒适区？欣然接受就可以开始如此精彩的体验，为什么要拒绝呢？

规则15 初创公司4要素：变化、联系、对话、社区

通过总结《快公司》杂志的经验，我认识到错误是很容易记住的。每个初创公司都犯错误，我们也犯过错误。但我们把握了通向成功的四个关键因素，即4C。在这四个方面的成功使我们在竞争中立于不败之地，并有时间对其他错误进行弥补。这四个因素是每家初创公司和正在转变过程中挣扎的公司需要注意的。在这些方面做得越出色，成功的概率就越大。

变化（Change）。初创公司关键是要改变竞争格局——那是产品或服务的要点。所以你的第一个任务就是要清楚自己想怎样改变行业。我们很清楚《快公司》将怎样改变商业类杂志。我们将成为第一本最为时髦的商业类杂志，即《哈佛商业评论》和《滚石》的混合体。我们杂志的设计将宣告一个新的类别：拥有酷外观和酷感觉，我们将向读者展示我们的杂志与已有的那些乏味的杂志相比有多大区别。《财

富》、《福布斯》和《商业周刊》以传统的人口统计方式划分市场。《快公司》杂志是按心理特征来划分市场的杂志——我们希望对商务人士产生吸引力，他们视自己为创新者、企业家、变革促进者和自由职业者。其他商业杂志明说是为商务男士办的，而我们认识到女性在商业活动中扮演着越来越重要的角色，所以希望我们的杂志对男人和女人具有同样的吸引力。我们在商业计划书里明确写出这些变化，这样，任何潜在投资者都可以看到《快公司》杂志所代表的变化。

联系（Connections)。《快公司》杂志促成了两种联系：观念之间的联系和人们之间的相互联系，这有效提高了人们的竞争力。从一开始，作为一份新创的商业杂志的部分特性，我们展示了商业思维范畴内的一系列新联系。我们指出战争中的战略与商业竞争中的战略之间的联系。我们为读者引荐了美国本土决策策略并推荐他们在工作中使用。我们采访出色的魔术师，探讨他对平衡工作和生活的想法；我们采访脑外科医师，向他学习应对压力的方法；我们采访正在执行快速检修计划的机长。通过在多个领域探索出不落俗套的联系，我们鼓励读者以不同方式思考他们的工作。我们还鼓励读者之间相互联系。通过《快公司》杂志网站的号召，我们鼓励读者相互寻找对方的地址：结果是很多人成了朋友，志趣相投的商务人士组成新的人际网络，他们吸收了我们杂志的全球视野并在实际生活中运用。我们促成了他们之间的联系。他们从此开始相互联系。

对话（Couversation)。《快公司》杂志的首期登载了编辑的一封信，我们以此作为新杂志的宣言。我们提出“商业变革指南”的箴言和原则，确定我们的目标：“启动对话，鼓励讨论，引导辩论，创造健康的张力。《快公司》杂志将成为前沿商业思维领域的第一杂志。

你如果发现其中某些经验可以在工作中运用，某些经验可以与同事交流，某些经验能有助某个问题的再构造，如果你对某些事情有不同见解，那么《快公司》杂志就是成功的。”将工作视为对话的概念来自“新经济为何如此新”，这是我离开《哈佛商业评论》、创办《快公司》杂志之前写的最后一篇文章。在文中我提出在知识经济时代，停下手头工作跟同事交流片刻并不是浪费时间——而是工作的升华。对话是我们以互相出主意为基础，创造新的经济价值的一种方式。每期《快公司》杂志的目的都是为了引发新的对话。

社区（Community）。为创办《快公司》杂志，我参考了一些早期杂志的成功案例。我了解到：与众不同的杂志不仅开创一个时代，而且创造了新社区。在 20 世纪 20 年代，《纽约客》迎合了美国人当时在人情世故方面的逐渐觉醒。《财富》在上世纪 20 年代成立之初开创了美国商业领袖的新社区。在上世纪五六十年代性革命快速发展的时期，《花花公子》充当了时尚权威的角色。《滚石》集合了伍德斯托克一代人，以毒品、性和摇滚乐为象征。这些杂志的成功都归因于他们唤醒了一些颇有个性的人们，使他们认识到自己实际上属于正在形成的某个新社区的成员。

在《快公司》杂志的成功定位中，我总结了 4C 原理——不是为成功打包票，而是为成功提供可能。这些特性并非杂志行业所专有。如果你仔细观察，就能发现这些特性对各行业的初创公司和新创产品都能起作用。比如奥巴马的总统竞选：变化、联系、对话和社区。

感言

这4个单词并非牵强地组合在一起以供方便记忆。它们代表了一些实用的词汇，可以替代传统商业计划书里的某些词汇。可以用这4面“透镜”检查你的观念，看其是否合格。

变化。你将建议行业进行哪些改变？改变的方式是什么？你的客户对改变有什么看法？同时，每一个新观念都必须遵从一些传统惯例。什么是不变的？为使客户不感到迷失方向，什么没有改变？变与不变——那是你的观念在调焦过程中必须经过的第一个屏幕。

联系。你将为客户提供什么新联系？比如，有些公司的内部改造项目产生了巨大作用，比如，通过重新布置信息流动的线路，实际上改变了工作方式。网络的一个功能就是公司与客户之间新的联系。宝洁公司决定在创新中利用联系：甚至将新战略命名为“连接与开发”，目的是更多地将公司外部的观念带到公司内部来。你的观念会产生什么样的联系？

对话。你的观念能启动新的对话吗？能有效地利用与客户之间的对话吗？你建立的是什么样的反馈回路？因而，你的客户——或员工——可以真诚对话？你怎样让客户相信你邀请他们参与的对话是真实有效的？一旦开始对话，你如何长期保持这样的对话模式？对于一个诚心对话的公司或领导来说，没有什么比这更珍责的了。客户的声音是你通向成功的终极指南。但你得说话算话，你得随时准备倾听和回复。

社区。你支持什么样的社区？社区的特点是什么？社区大小如何？最重要的是，你将怎样帮助社区，服务社区？如果你能为一个成熟社区服务，或更有力地将一个新社区凝聚在你的产品或服务周围，这将对你的观念起到巨大的推动作用。

你可以轻而易举地将这个模式作为模板应用到商业计划中。你可以在每张纸上写一个单词，并将那个单词作为透镜对你的观念进行分析。答案请尽量保持简短——最好是一段话，最多一页纸。然后想办法把这四张纸连贯起来。连贯起来后，变化、联系、对话和社区就会成为一个有力的体系。你如果能利用 4C，就会快速取得成功。

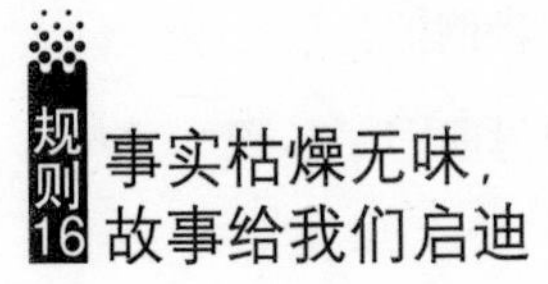

规则16 事实枯燥无味，故事给我们启迪

地点：Registry 度假胜地，那不勒斯，佛罗里达州

时间：1999 年 5 月 17 日

事件：《快公司》杂志实时会议

主题：“你为新经济作好准备了吗？”

2 点 45 分，在《快公司》杂志第三次实时会议的主席台上，我向台下 600 多人的喧闹人群介绍大会的主题发言人。杰出的管理宗师汤姆 · 彼得斯精神抖擞地走上讲台——但也有点紧张。

他慢条斯理地穿过条条过道，缓缓走向讲台，手里拿着一扎笔记材料，为主题发言作好准备。

“艾伦说，‘你不能使用幻灯片，不能穿套装，不能说你常说的一些事情。’”汤姆说。汤姆因幻灯片出名，他的幻灯片充满了精简的引语和醒目的感叹号。而今天不允许使用幻灯片。

“你可能会想这是不是疯了，”他说，“我今天早上经历了一些有趣的事情，花了大约半小时检查手提箱。这是隐私，因为那里面有些物品，肯定会让人觉得尴尬。我干脆把这个废物倒掉！”

话刚说完，汤姆拿起他带来的枕套，倒空里面的填充物——人群一阵欢呼。

多数听众都听说过汤姆，但不是像这样的！每个人都知道他曾是个坏孩子。不过是去公司作演讲，他就会开价 50 000 美元，告诉他们状况有多糟糕而已。但带着个枕套走到台上，里面塞满了他箱子里的东西？好酷！

“我是那个狂野的羊毛男孩，不是吗？疯了吗？如果我疯了，我为什么要带着三块手表，还把第四块手表戴在手上？最重要的是，”汤姆说着，举起几样东西，“我带的不是一两只闹钟，而是三只！手表和闹钟的数量加起来有七只！”

人群欢喜发狂，笑声连连。

“有一个要点，”汤姆说着，神情变得严肃起来，“要点在于它真的酷，比狗屎还酷，但你必须准时现身。现在是你的‘个人品牌’时代，这个充满惊叹的‘哇！项目’的时代特征就是酷，就是发展，就是网络——还有一个特征就是公司在过去数年的发展过程中缺少应有的责任感。”

他拿起两个从枕套里滚出来的柚子般大小的球。

“这是澳大利亚产戴夫 · 布朗牌板球，” 汤姆说，“我是个狂热的设计爱好者。”

他拿起几个手电筒、一节绳子、一个卷尺。

这就是要点：汤姆用讲故事的方式代替幻灯片。他说起他母亲对他的影响。他说起他父亲 41 年服务于同一家公司的职业生涯——退休之际他是多么的感激。他说起在越南的两届任期塑造了他的管理哲学。他说起伪忠诚和空洞的管理目标。汤姆告诉听众，在职业生涯中，最糟糕的事情莫过于按照“按时、按预算行事，我才不在乎呢”这样的言论做事情。

汤姆总是充满热情，目标明确，但这次演讲风格不同。

这次，汤姆是在讲故事。故事也是我们学习的一种方式，事实确实好。事实有助于加强论点，它们表示任务完成了。这儿有一个例子。

美国 2008 年的医疗开支占国内生产总值的 15.4%，成为世界第一。而在儿童福利方面，美国排在世界第 20 位，在希腊、波兰和捷克等国家之后。那些都是事实。

现在让我来告诉你们一个故事。2007 年 2 月底，在马里兰州乔治王子县，一个 12 岁的名为迪尔蒙特的男孩因牙痛发作而死。玛丽 · 奥托在《华盛顿邮报》中写道：“按理说只要 80 美元的拔牙费用就能拯救他。如果他妈妈有医疗保险；如果他的家庭没有失去医疗补助；如果医疗补助计划中的牙医不是那么难找；如果他妈妈没有把所有心思全部集中在他弟弟身上，为他弟弟的六颗烂牙寻医，也分点心思在他身上，就不会发生这样的事情。”

事实恰恰相反，迪尔蒙特的牙齿引起了脓肿，细菌扩散到他的大脑里，要了他的命。在世界上最富有的国家，一个 12 岁男孩，居住地点离国家的首都只有区区几英里，却死于牙痛。

你会记住哪件事？是医疗支出的事实还是迪尔蒙特的故事？

事实只能是事实，但故事却能显示我们如何为人处世，我们如何学习知识，以及其中蕴涵了哪些深远意义。

感言

你听说过“雷叔叔”的爆米花吗？我是和妻子驱车行驶在艾奥瓦州，前往一个朋友的农场的路上才头一次听说的。我们在一个加油站停下来，买了一袋“雷叔叔”当零食吃。闪光的蓝色袋子正面写着，“第30章：请见袋子背面的故事。”吃完爆米花后，我把袋子转过来。下面就是袋子上的故事：

“《雷叔叔的生活和时光》第30章：非常美好。”那是一个关于雷叔叔幼时贫困，在底特律长大的故事，他的邻居有棵桃子树。我不会败坏你的胃口，把整个故事都告诉你——但就像汤姆·彼得斯在实时会议上的发言一样，那是亲身经历的，那是引人入胜的，那是具有强烈精神力量的。故事跟爆米花一样棒，可能更棒。

在袋子的背面写个故事有助于销售更多的爆米花吗？或仅仅是雷叔叔回报顾客的一种方式？每份爆米花都伴随着这个小小的生活故事吗？这无关紧要——我非常喜欢那些爆米花，以至于全部吃完了，我也非常喜爱这个故事，以至于我把袋子保存下来了。

为什么故事比那些平板老套的事实或乏味的幻灯片展示更强有力？

一方面，故事是关于人的。一些人和另一些人相关联。人不与句点、冷冰冰的数字、图表或曲线图相关联。

故事讲述人们做的事情。那意味着故事含有动词。动词是重要的——它们定义正在发生的事情、已经发生的事情、将要发生的事情，或应该发生的事情。动词是具体的：在一个优秀说书人讲故事的时候，是动词传达了其重要特征和微妙的心理。数字、图表和曲线图看起来是明确的，但因缺少动词，我们很难知道那些数字的真正意义。数字可能看起来是“硬”的，但实际上却是“软”的。故事可能看起来是“软”的，但动词的使用将故事变得更硬朗。这和我们的直觉不一样，但故事确实能起到这样的作用。

故事创造意义。数据很好，但实际上我们孜孜以求的目的似乎是通过某种方式弄清所有数字的含义。为了使事实产生意义，我们希望通过故事来弄明白如何组织事实。

故事告诉我们如何学习。生活中的教训深藏在每个故事之中。故事指导我们为人处世，告诉我们什么样的行为是有勇气的表现，怎样克服失望，以及品格培养有什么意义。我们通过故事将学到的经验传递给他人。

故事从来都是大牌公司的核心。大多数初创公司都拥有创业故事。有些公司可以追溯到一间车库，有些公司可以追溯到一间大学宿舍。它们都传达着创始人的价值观、意志和品格。（如果你正在创业，还没有一个真正的创业传奇，那么就随着自己的心意创造一个吧——我们《快公司》杂志就是这样做的。)

正如古代部落传承前代的传奇故事一样，很多公司都通过故事的形式庆祝他们伟大的成功或者悲壮的失败：取得的骄人销售业绩，老板悄然放弃有悖诚信的合同，全体员工通宵达旦工作的时光。故事把一个公司转变成一个社区。他们创造了神话传说，激励人们更加努力地工作，齐心协力，创造价值。

领导的工作就是讲故事的工作。那是一门艺术，而这门艺术是可以通过学习掌握的。

首先，检查一下门口的幻灯片。你不会不用它的，我保证！

然后考虑那个要点——那个真正的要点——你正在努力传达给大家的那个要点。那是故事的尾声——那是故事的寓意之所在。然后你再从尾到头地看一遍这个故事，当你来到故事的开端，自然而然地说："从前……"

你将发现一种新能力，一种组织文字来讲述自己的经验的方式，通过这种方式你可以把自己的经历与别人的经历联系起来。人们会聆听。而你将不必再次忍受痛苦观看另一场令人厌烦的幻灯片展示——除非还有另一个人在用幻灯片。

规则17 创业家认为机遇重于效率

身处俄勒冈州波特兰市，你会感觉在那里旅行充满乐趣。顷刻间轻轨把你从机场带到市中心，那里有先锋广场，是波特兰的主要街区公园和美国最适宜步行的闹市区。与众多美国城市的闹市区不同，波特兰闹市区呈现出一派繁忙的景象，到处是多功能的商业建筑、街边小贩、喷泉、公园和广场。一条公交步行街贯穿整个闹市区，而在“免费广场”内，你甚至可以免费搭乘公交车。一座大型公园沿着海滨而建，珍珠区内有幢幢中高层公寓楼、时髦餐厅、酷店、历史建筑，你如果逛累了，还可以去看看鲍威尔的书。这是一个美妙的中心区。

可以前却不是这个样子。

1973年的时候，波特兰市中心每三天中就有一天超出联邦空气污染指标。如今的先锋广场曾是一个用石板瓦搭建的停车库。海滨公园曾是一条沿海高速公路。珍珠区曾是仓库。那是一个缺乏活力的闹市区。当时的城市改造区是几幢灌浇混凝土造的高层公寓楼，车道环绕其间。和大多数其他美国市区一样，波特兰市区也致力于为汽车开道，认为只要汽车能够更容易地在中心区进出，人们在中心区购物的可能性就更大。然而事实是，汽车在伤害城市中心区。

汽车让这个城市分裂。然而保守者相信汽车：他们想拆掉房屋，想建更多的高速公路，让汽车在街区之间穿梭，他们还想在中心区建更多的停车库。他们想拓宽街道，砍掉街道两边的树木，竭尽全力让汽车在整个城市畅通无阻。

市府里为尼尔 · 戈德施米特效劳的少壮派以及波特兰街区激进的市民认为，汽车意味着城市的死亡。我们想加强交通，保留街区，让中心区变得对行人更加友好。

双方的对立集中在“城市中心规划”的制定上，“城市中心规划”是为城市中心区的未来进行综合性的规划。市府聘请了专业顾问、城市规划师和交通专家进行官方规划。还组织了市民咨询委员会，起草了一系列指导方针。我的任务是什么？市长让我当市民咨询委员会的联络人。帮助那些草拟指导方针的市民。

可是我对城市规划一无所知。我在圣路易斯郊区长大，在马萨诸塞州西部上的大学。我学过阅读和写作，出版过大学报纸。但在城市规划方面，我完全是个外行。

有人给我提供了一本完美的教科书：《美国大城市的死与生》，简 · 雅各布斯关于城市如何运转的杰作。事实上她不是一名城市规划师或交通专家，而是一个普通市民，一个有天赋的城市规划业余爱好者，她用自己的经历塑造了怎样拯救城市的理论，使人心悦诚服。她的书成了我的圣经。

她认为有必要对市中心的建筑进行多功能改造，阐述了为什么像传统的政府中心一样把市中心隔离成毫无生气的建筑群，是无异于毁灭城市的举动。她生动地说明了小块的城市片区为什么能给人提供令人愉快的步行体验，以及办公楼街面作为零售店铺的重要性。关于广场和楼宇导致的街面空间死角，她认为这是吞噬城市生活的杀手。

在一个章节中，她精彩地讲述了波特兰正在上演的斗争：要么城市经受汽车的入侵，要么城市把汽车排挤出去。在那场较量中，城市的未来悬而未决。

感言

离开波特兰后我才意识到：我不仅积累了城市规划的经验，而且在创业方面有所领悟，这主要表现在两个方面：

首先，这场围绕波特兰的未来展开的较量是典型的商战。那些坚守现状的人捍卫传统的商业模式，这也是主宰美国多数城市的命运的模式。事实上，问题的本质侧重于郊区而非城市，侧重于街区而非汽车，侧重于社会和经济区域而非社区发展。提倡走另一条路的人是城市创业家。我们的商业模式不一样，我们强调的是以街区、宜居性、环境质量、交通、市民参与为基本价值观的模式。双方不能妥协，几乎没有能让双方都接受的折中办法。城市必须作出选择，要么维持现状，要么采用创业家的主张。那是一场关于商业模式的现实角逐。

其次，政治分化的实质是哲学选择，我还意识到这能区分经理人和创业家。

那是按部就班与特立独行之间的区别，是熟悉与新鲜之间的区别，是安全与冒险之间的区别，而终极区别存在于效率与机遇之间。

经理钟情效率。效率建起高速公路和停车场；效率推平街区，把城市交给汽车；效率抗拒变化，因为变化引起冲突，而冲突又会增加成本；在每天的上下班路途中，效率采取同样的路线——因为那样更简单、更方便，也是理所当然的。

创业家钟情机遇。那些让城市妙趣横生、激动人心、活力四射的事物吸引创业家进行变革和试验。创业家想知道，“那里发生了什么？”他们不想在每天上下班途中走同样的路线；他们渴望探索新路线和享受新体验的自由。创业家是商业版的简·雅各布斯：他们寻找城市小片区和街面零售店，路边咖啡店和手推车摊贩。他们期待与平淡的生活全新触碰，期待体验茅塞顿开的欣慰感觉和朴实的欢乐感觉。

假设自己正站在十字路口，面临人生的转折点，就像20世纪70年代的波特兰一样。你会选择哪一个商业模式？你会选效率并继续行走在原来的道路上？还是会选择机遇，奋力找到新方向，摈弃以前的道路？

“城市的要点在于多项选择。”简·雅各布斯在《美国大城市的死与生》中如是说，而那也是创业家精神的要点。

规则18 知道不等于做到

我第一次见到莱利 · 史密斯是在一场旨在收拾残局的政治会议上。

1980 年，罗纳德 · 里根以压倒性的 489 票对 49 票，战胜吉米 · 卡特。尼尔 · 戈德施米特被任命为交通部长，我们一班人马跟随他从俄勒冈州波特兰市来到华盛顿特区。后来我们又改变方向，辗转回到家乡，狄普 · 欧尼尔的话 “所有的政治都是地方政治” 萦绕在我们耳边。俄勒冈州自从 1964 年以来还没有在总统选举中支持过民主党。我们决定组织一个俄勒冈州—华盛顿州年轻民主党人士论坛，每州各选 50 人，然后启动漫长的重建历程，以草根大众为根基。

我得找两个演讲者来为会议开场，一个谈经济，另一个谈国防。我找的人是：阿兰 · 布林德，普林斯顿大学教授，民主党经济学家的后起之秀；莱利 · 史密斯，一个相对来说还不怎么有名气的华盛顿特区的编辑，但似乎对国防的每个新政策都了如指掌。

这次胡德山会议非常成功。阿兰 · 布林德描述了民主党的经济愿景，他后来是克林顿政府的经济顾问委员会成员之一，他所描述的愿景在克林顿时期崭露头角。莱利 · 史密斯后来成了克林顿时期的国防部长顾问，他用通俗词汇直言不讳地谈论国防话题令我们感到眩晕：在谈到国防开支的时候，莱利说，更多并不意味着更好，更少也不意味着更好，只有用更好的方式制定国防开支才更好。

莱利成了我的至交。我从莱利身上学到的知识不只来自胡德山会议，还有他在肯尼迪政治学院的白板上写的一句话："知道不等于做到。——印第安古谚语"他在那里教学多年。即使莱利在华盛顿特区工作了 30 多年，完成了他的政府公职，获得了国防部颁发的最高市民荣誉奖，他也从未忘记他生长的地方：印第安纳州的代顿，莱利常说那是一个很小的镇。

这份朴素的印第安智慧有什么重大意义吗？

首先，这与你要倾听的对象有关。华盛顿特区是一个专家之城。那里有起草政策文件的智囊团专家，有在国会作证的专家，有在广播电视节目中频频露面的专家，甚至有采访专家的专家，这样一来，专家的影响力就像一个回音不断的房间。

美国的方方面面都产生了变化，变化有好也有坏。在一个到处是创意的经济体中，理论战胜了实践。人们来到华盛顿特区，担当高位，不为在某方面取得成就。思考代替了行动。商业领域也是一样。拥有令人尊敬的头衔的主管能够提供诱人的简历，而真正作出与头衔相符的事情好像无关紧要。

其次，不得不说到知识。说我们生活在知识经济体中无异于在桌面上放赌资。真正的问题是，什么样的知识最有价值？

知识来源于两个渠道。第一个渠道是头脑，积累那类从阅读和思考得来的知识。另一个渠道是实践，和第一个渠道——来源于头脑、保存于头脑中——的情况不同，这种渠道获得的知识开始于行动，转入头脑，然后再进入行动，属于知识—实践的循环过程。

在华盛顿特区服务的那些岁月里，莱利认识到这两种获得知识的途径。在国防部，他和一些精通理论的人共事，他们的观点来自思想意识而不是真实的个人体验。作为一名政府职员，与他打交道的那些顾问实际上从来没有和警察、工会成员、农户或其他任何真实的选民交谈过。在大小事务上，莱利看到的情况是，我们已经与传统的美国价值观——真实的经验——失去联系。这样做的后果是：正当我们努力解决困难问题的时候，我们已经与问题的根源渐行渐远了。我们需要回到真实的世界中，从草根大众的层面上仔细观察，运用从真实经历中获得的知识。

理论知识不等同于实际生活中的实践——而实践最终会为获取知识开辟新道路。

感言

我们喜爱专家。他们是那么聪明，有他们在，我们感到放心。但如果在公司里认知者文化压倒实践者文化，那么问题就会产生。

在你的公司里，当评论某个创意或评估某个项目的时候，谁会被倾听？如果你的公司和多数公司一样，那么，就是夸夸其谈者比实践者更容易得到器重。在多数组织里，为使某个创意得到认可，你必须用计划评核图、条形图、饼形图、活页图表等一系列图表作漂亮的演示。专家的建议对于那些近距离接触问题、近距离接触客户的业内人士可能会有用。但是，让我们考虑一下公司高管的情况，比如主管和他们的顾问，他们成天封闭在公司总部里。在职位上升的过程中，大多数领导与现实工作失去联系，而现实工作又恰好是塑造他们的商业教育经验的法宝。他们不做自己曾经非常擅长的事情，反而制定决策告诉他人怎么做。

如果你也属于商业思想家的行列，有些事情你必须考虑。作为一个领导者，你需要什么建议？你向哪些人寻求建议？毫无疑问，有很多聪明的顾问可供你选择。但不要忘了：你在公司内部拥有足够多的、熟悉公司情况的一线职员，有男士也有女士，他们近距离接触客户，深知在公司里什么行得通什么行不通。你怎样获取他们掌握的那些从实践中得来的知识呢？

你怎样分辨一个看似不错的创意和一个在实践中行得通的创意？你使用“压力测试”（莱利·史密斯的用语）吗？它告诉你一个创意是否真正能在压力下行得通。你想寻找经受过考验的工程队长吗？他们有伤疤可以证明为取得工程的成功他们付出了自己的努力。你不仅会奖励优秀的思想，也会奖励优秀的经验吗？如何奖励？你会褒奖那些有勇气力图执行某个创意——不论成功与否——而不只是成天议论来议论去——的男士和女士吗？

成功的基础在于找到行得通的创意并弄清行得通的原因。创意来源于实验证据，而不是理论。成功取决于找到值得信赖和认可的答案——为得出答案，你除了“知道”，还要实践。

规则19 提请领导注意信噪比

那个操着浓厚奥地利口音的商人对参加第三次 Waldzell 会议的一位演讲者不熟悉。

“沃伦 · 本尼斯，”我向她解释，“他是领导力研究的世界级权威。”

女人疑惑地看了看我。“领导力，”她说，“我们欧洲在那方面没什么好经验。”

欧洲可能在领导力方面没有好经验，但在美国，我们对“领导力”有一个拙劣的定义——在一个真正看重领导力的国家，拙劣定义只会产生更多的拙劣领导。

两种定义主导了商业报刊对领导力的描述：大男子主义的首席执行官和主要的决策者。多年来，商业领导力成了强硬的同义词。每年《财富》杂志都会刊登一期封面故事，取名为“全美前十位最强硬老板”。领导力，根据《财富》杂志的定义，指可以在关键时刻作出重大决策。但最近那种极端大男子主义的定义已经转变成果断的首席执行官的概念，那个伟大的男人（几乎总是男人）坐在大办公桌后面作出重大的决定。这个首席执行官不仅强硬——他还必须是办公室里最聪明的人，在任何办公室都是这样。

对于第一种版本的领导力的消失，我们谢天谢地，越来越多的首席执行官意识到聪明、能干的人——那种为公司的经营作出贡献的人——不愿为愚蠢又蛮干的人工作。第二种版本正在发展过程中，因为对于首席执行官来说，认识公司里的每个人就不错了，让他们做比这更多的事情显得非常不现实。“集体智慧胜过个人智慧”是越来越多的首席执行官正在学习的箴言。

怎样正确看待领导力？换言之，领导力要解决什么样的组织问题？

现在的问题在于太多的信息共享和对信息的不充分解读：太多的消息、太多的会议、太多的电子邮件、太多的交换项目、太多的方向改变。当风险增大的时候——当公司面临危机的时候，当公司面临创新竞争者，原来的方式行不通的时候——问题只不过变得更糟糕。在那个时刻，很多领导者屈服于提高产能的诱惑。结果：一个已经负担过重的体系由于超负荷而崩溃。

答案就是真正的领导力所在：领导需要提供更多的信号、更少的噪音。如果你是一个领导者，你的员工需要做到三件事情：明确的目标、诚实的价值观、统一的标准。

他们需要明白你明白的道理。你要告诉他们什么是真正重要的事情。告诉他们如何辨别那些相互抵触的报告和四处飞转的流言。告诉他们你如何与外界保持联通，这样他们就可以领会你采用的方法，从而可以参照你的方式指导自己的行为。

他们希望知道你的看法，因此你要告诉他们公司的态度是什么。制定一个坚实的行为准则宣言作为公司的行动指南，然后以身作则，遵守行为准则并让他们也遵守。他们将会共同支持这样的领导力。

他们希望采用你的衡量方法。你要告诉他们衡量业绩中真正重要的几件事情——越少越好。因为标准衡量太多的话，你就又回到增加噪音的行为中，那不是信号。

这就是领导力的定义：提高信号音，减少噪音，在混乱中保持清醒的头脑。如果你以一个领导者的身份这样做，你就能让员工也履行他们的职责。

感言

“领导力”的定义归功于四个不同的老师，他们每个人都贡献了其中一部分。“信噪比”这个术语来自约翰·希利·布朗。我认识他的时候，他是施乐公司的首席科学家以及帕罗奥托研究中心（PARC）的主任。信噪比是一个电机工程术语：发出信号能量和发出干扰信号的噪音能量之间的比率。比率越高，你的消息就更清晰。

从天才的彼得·德鲁克那里，我学到了经理的职责就是允许员工在工作中充分发挥才能——而不是通过烦琐的行政事务干扰阻碍他们的努力。德鲁克是第一个强调商业的社会层面和管理的人性层面的人。

吉姆·柯林斯吸纳了彼得·德鲁克的思想并使之升华，这只有训练有素的数学家才能做到。在

《从优秀到卓越》中，柯林斯告诫领导者要以刺猬的角度而不是狐狸的角度思考：每一个实现了从优秀到卓越的跨越的公司都有一句简短的话表述公司的目标。不是视野的宽阔程度，而是明确的中心目标界定了“从优秀到卓越”的领导。

斯坦福大学的杰弗瑞·普费福使我受益于“所测即所得”的管理古谚。这个谚语很有道理，但普费福发现一个例外——如果某个领导坚持要同时测量过多的事情。过多的测量等于没有测量。只需选择几个重要的标准来量化，并坚持。

他们是四个一流的领导力教师。但怎样在工作中运用这些知识？

第一点，先进行一番自我评估。你正在使用的“领导力”定义是什么？你对“领导力”有一个定义吗？是由你自己制定的吗？是从一本对你有影响力的书中得来的吗？还是从一个教你的顾问那里学到的？把它记下来。对于你和员工之间的关系，它是怎么说的？它怎样描述你的一系列重要任务？它对你的定位是一个激励者、决策者还是一个理解者？

第二点，再做一次评估，这次是对你的公司作评估。什么界定了你的公司以及你做生意的方式？你能用简短的几个词概括吗？诺思通为员工提供的指南富有传奇色彩，皆因其风格简明。

戈登在重组大陆航空公司的时候，他让自己的团队注意两个单词：尊严和尊重。你能像刺猬那样集中注意力吗？

第三点，你公司的价值观是什么？马文 · 鲍尔被认为是成就了麦肯锡公司的人，他曾为当时刚起步的公司注入了四个重要价值观：客户第一；只有为客户创造的价值大于公司因此而产生的费用的时候才考虑合作；普通股东应该拥有公司；公司的成员应该是训练有素、有积极性、能从事卓越工作的专业人士。你能说出自己公司的价值观吗？

第四点，你的重要标准是什么？你如何将测量标准保持在必需的数量上？

按照以上步骤作个简单的评估吧，我保证你会提高自己的信噪比。还会觉得更有意义。

规则20 速度＝战略

介绍约翰 · 博伊德的思想之前，请让我先介绍他的书。

那是本一英寸厚的书，封面为草绿色，页面用塑料螺旋线装订。书中涉及的一切都是原创的内容。书的页面和一个幻灯片展示稿的影印本差不多大小。封面上书名的字母都是大写的——《论胜利与失败》。在书名下方，有小得几乎看不清的几个字，“约翰 · R · 博伊德，1987 年 8 月”。

对这本毫不起眼的书，我怀有最高敬意，因为它是迄今为止战略方面最有影响力的一本书。它像一个幻灯片的螺旋装订版本，看起来也的确如此：那是一个传奇，改变了五角大楼在 20 世纪 80 年代的军事战略思维，它的作者几乎一手重建了美国的战略地位并改写了美国的军事计划。我读到这本书的时候，书中的思想已经从军事战略转向了企业战略，那些简洁实用的观点在商业领域找到了热切期盼的新读者。

我是从波士顿咨询公司最有创意的战略家之一汤姆 · 胡特那里得到这份珍贵的收藏的。20 世纪 80 和 90 年代，汤姆和他的伙伴乔治 · 斯托克在探索新的竞争方式。乔治当时在日本考察那里的制造商为什么能够如此迅速地将新产品推向市场。汤姆则对美国军事战略呈现的新方向着迷。他们把各自的调查合并成一种新的战略，称之为以时间为基准的竞争——而那又超过了本故事的讲述内容。

因为故事的真正主角是约翰 · 博伊德。约翰 · 博伊德是个另类中的另类、特立独行的战斗机飞行员兼教练。《论胜利与失败》综合了他最开始学到的知识以及后来教授的知识，讲述了怎样在战斗中获胜，回顾了从《孙子兵法》直至现代游击战的战争巡礼。最终，博伊德为大家呈献的是一本引人入胜的关于如何在各类交锋中获胜的综合教科书，无论是军事方面还是商业方面。

据博伊德所述，所有的冲突都可以分为三种类型：消耗战、策略冲突和道德冲突。博伊德更倾向于策略冲突及其特征或操作风格：模棱两可、诡计般的、新奇、迅速和短暂的策略，也很省力。他特别喜欢的是策略冲突所使用的使敌人迷惑、分裂以及超负荷运转的方式。博伊德说，“通过让敌人自己把自己拖垮的策略，你赢了。” 有的冲突中，敌人被自己的想象所迷惑，而乱了方寸，内心的和谐也给破坏了，在这种情况下，敌人会投降，会失去战斗的意志。这是一本杰出的著作，融合了历史上最伟大的军事家的教导。

但是，你怎么执行这个战略呢？

这是博伊德独特而有用的深刻见解——也是他的绰号“40 秒博伊德”的来源。

所有竞争的核心——所有的生命，博伊德认为——都属于 OODA 循环。**OODA 代表观察、定位、决策、行动**。根据博伊德的理论，

OODA 循环讲述我们如何作出决定的过程，涵盖了所有的胜利和失败，不管是在战争中，在商业中，还是在生活中，皆是如此。

但是理解 OODA 循环只是获得竞争胜利的第一步。关键在于谁更快地走过 OODA 循环的四步曲，谁就会赢得先机。如果你能从观察进展到定位，从定位进展到决策，从决策进展到行动，而你的竞争对手还仍然停留在早先的步骤之中，你就会赢。当你一遍遍地走过 OODA 循环的各个阶段，很迅速地将自己的竞争状态调整为守势；你在敌人内部播种疑惑、不信任、混乱、恐惧和惊慌。你作出决策和采取行动的能力将会超过你的敌人——这进而造成了胜利和失败的差别。

对博伊德而言，OODA 循环不仅是一个理论，那也是他在战斗中选择的武器。作为一个空军飞行教练，博伊德对任何学生都是一个长久的挑战。空战中，博伊德会从一个劣势位置起步，在不到 40 秒的时间内，他便会在策略上战胜学生，赢得空战。博伊德从未在挑战中失手过，由此赢得了他的绰号——因为他已经掌握了 OODA 循环的战略艺术。他证明了速度就是战略。

感言

如果商业上的竞争是基于大众生产、大众营销和大众消费之上的，那么消耗战就有效果。正如美国的南北战争：你可以通过扩大规模和范围来消耗对手的实力。

但当竞争规则变化的时候会怎样？当竞争的焦点转变成创意和知识、创新和创造力、多样化和灵活性等一系列新特征的时候，你会怎么做？当竞争从消耗战演变为策略冲突，你会怎么做？

那些是汤姆·胡特和乔治·斯托克在20世纪80年代提出的问题。当时日本的汽车、空调、音响器材以及其他消费类电子产品的制造商以更多品种、更好质量和更低价格的优势战胜了美国制造商。他们是怎么做到的？

他们发现答案在于速度。答案就是OODA循环在商业中的应用。

它是怎么运作的？让我们走一遍OODA循环的每个步骤。

观察。你的观察力有多敏锐？所有的公司都倾向于认为自己是敏锐的观察家，但正如有些军队有比别人更好的侦探，有些公司比别人更认真地审视自己的竞争状况。比如，科技驱动型公司通常绘制出竞争对手申请专利的产品图纸——不仅是为了弄清新专利的内容，而且也是为了弄清哪些产品型号代表着市场的广泛兴趣。有些公司使用情景规划或模拟情境来为未来竞争作准备。你怎样在变化发生之前就侦察出它？你已经准备好人力和方案，用以观察和分析客户的迁移情况和竞争对手的战略了吗？

定位。根据博伊德的理论，定位是整个 OODA 循环中的关键步骤。他称之为主攻点，或焦点，因为它“决定着我们观察、决策和行动的方式”。定位意味着领悟你所观察到的内容。它需要有自知之明以避免落入自满的陷阱；它需要有自我意识以避免“大脑短路”。决定你如何理解经验的思维习惯是什么？影响你观察世界如何真实运作的先入之见是什么？你甚至都不可能意识到你在做什么样的假设，更不用说那些假设是否能适用于这个快速变化的世界。弄清这些问题你就会知道为什么定位是整个过程中的一个关键步骤。

决策。你的决策速度如何？你很快作决定吗？或者你陷入了分析瘫痪的陷阱之中？OODA 循环强调快速、忠实的决策制定。它有一个内置式的自我修正机制：你的第一个决策可能不会完美，但在你快速回顾整个 OODA 循环周期的时候，你有机会完善你的第一个决策。在循环的每个周期中，你的决策变得更迅速、更清楚、更完善。

行动。仅仅有决策还不够，在你将决策转变成行动之前，什么都没有发生。采用

OODA循环理论的公司知道时间是关键。从决策进展为行动需要多长时间？为了加快过程的进度，有多少个层面可以省略？为保证行动的实施，你可以清除多少障碍？有个办法就是组织一个“先锋队”去跟踪公司里每个决策从制定直至实施的全过程。最终，你将会知道障碍存在于哪里——以及怎样消除那些障碍。

下一步会发生什么？

你一次次地经历整个周期，观察第一轮周期产生的影响，进行自我调整以适应新形势，你决定采取某个跟以前不同的行动，然后采取实际行动让自己的预期目标得以实现。OODA循环成了一个战略原则，记录你创建和执行战略的速度以及你学习如何适应一个快速变化的竞争环境的速度。在知识经济时代，速度是关键，一定要掌握这项最有价值的技能。

规则21 如何抓住世界的想象

今天，创新一词已经到了耳濡目染的程度。在报纸、电视以及网络上——公司纷纷宣称自己不断创新。报纸的两页整版广告宣告可口可乐向前迈出的一大步：各式各样的外观和容量的罐子、瓶子为我们提供同样的汽水。

大众杂志刊登的一系列广告吹响三角洲航空公司新活动的号角，此举旨在通过创新赢得公众的青睐。其中一个广告提醒乘客可以在离家前通过网络办理登机手续……其实，其他航空公司也能做到。

一则 30 秒的电视广告巧妙刻画了一对郎才女貌的夫妇，两人坐在户外咖啡店里，各自拿着新式手机……手机背面有个镜子。

哇！探索创新！探讨差异化！

有些公司在新产品和新服务方面力争夺下金牌。

但这样的公司不多。

大多数公司的心态是求稳，但对外宣称自己是创新的。大多数公司在包装上做点变化，把容量加大，就称之为突破。他们以竞争对手为基准点，在小处做大文章。他们说自己在向天空进军——却满足于车库里接近天花板的货架，原来那些旧设备也存放在车库里——那里很安全。没有人会因为想法平庸无奇被解雇。只是别把那样的做法叫创新。那更像是创新的迷你版本。

这就是为什么汤姆 · 彼得斯要大动干戈把矛头指向眼光新颖的企业家和目光冷酷的管理人。

“见鬼去吧！”汤姆喊道，“这种乏味的东西已经够多了！现在是抓住世界的想象的时候了！如果不是整个世界，至少是你的世界！”

我们都明白汤姆在说什么。我们看到“它”的时候都感觉见过“它”——我们看到它的时候都知道“它”。

如果你的手腕上戴着一个有弹性的黄色手镯，上面写着“Live Strong”——或任何一个其他颜色的手镯，代表着你深深关注的事业——你就见过“它”。2004 年由耐克公司和韦登肯尼迪公司联合发起的为兰斯 · 阿姆斯特朗基金会募集资金的象征符号变成了一个全球宣言。这个活动用 6 个月的时间达到其最初筹集 2 500 万美元的目标，每只手镯卖价 1 美元。目前为止，全世界的人们已经购买了 7 000 多万只黄色手镯。

如果你参观了日本建筑师坂茂为存放格利高里 · 考伯特的“尘与雪”移动影展而建造的移动博物馆，你也觉得见过“它”。坂茂用金属轨道车辆、废弃的圆柱、黑色岩石制成一个移动的日式庙宇。在每站的展览结束后，轨道车辆就成了把展览移到下一个目的地的交通工具。

如果你看过《哈利 · 波特》系列小说中的任何一本，或看过其中一部电影，或玩过其中一个游戏，你更感觉见过“它”。这个故事第一眼看起来像是发生在一个旧式英国寄宿学校里的罗曼史，传统的成长故事，英雄回归式的传奇故事——这也说明为什么在某出版商同意出版之前，8 个出版商都拒绝了罗琳。到目前为止，《哈利 · 波特》已售出了 4 亿本，被译成了 67 种语言，形成了一个价值 15 亿美元的波特王国，激励着世界各地无数孩子做一件如今都不再做的事情：读书。

我们看见“它”的时候都感觉似曾相识。“它”存在于音乐播放器和手机之中，存在于宝马车的“班戈屁股”之中。“它”出现在有话要说的网站上，出现在方便使用的厨房产品中，出现在行之有效、产生分化的社会商业之中。为了抓住世界的想象，你可以采用多种方式，比如一个有秘密菜单的特色汽车汉堡摊点，一只能倒着写的钢笔，一本用某种非纸张类可回收材料印刷的书籍。你可以是为钱、为某项事业，或仅仅为搞笑而出版一期“山寨版”的《纽约时报》。

关键是，抓住世界的想象，这是唯一你想要的东西。

感言

怎样才能抓住世界的想象？参考你熟悉的一些事例。它们有什么共同点？

首先是勇气。正如史蒂夫·乔布斯所说，做一件“疯狂而伟大”的事情是需要勇气的。你肯定会料到自己会被批评，甚至被嘲笑，因为你与众不同，你打破常规，你倾听的是自己而不是“他们”。

献身精神。你必须对你的项目非常投入，你无法想象没有激情而完成项目的情形。失败可以接受——但不努力争取则不可饶恕。

清晰度。那些抓住世界想象的项目的理念都具有水晶般的清晰度。当你拿起一件OXO厨房产品，你立刻就知道这个简单的厨房用具旨在重新定义用户的烹饪体验。作为生命之管的净水器的功能是清晰的：它将各种地表水转变成安全干净的饮用水。和机遇一样，清晰度也青睐有准备的人。掌握清晰度才能抓住世界的想象，然而，清晰度往往需要多年的努力才能掌握。

简明。为获得灵感，建筑师需要将灵感精练成简明的创意。当我和比尔·泰勒在为创办《快公司》杂志制作商业计划书的时候，我们反反复复修改了多遍。主旨没有变，而叙述的简明度却在不断提高。你的项目会变得更加独特。在它变得越来越独特的时候，它才更有机会在世人面前露面。

完美执行。创意的每一个选择，每一个决定，每一种表达方式都至关重要。为什么“LiveStrong”的带子是黄色的？弗兰克·盖里为什么决定在他的毕尔巴鄂博物馆上使用钛制外壳？抓住世人的想象，你必须领先一步。为使每个细节都到位，你是如何准备的？

如果行不通怎么办？如果世人对你的努力冷眼相看怎么办？如果受到批评或忽略怎么办？如果失败怎么办？

事实是，每天都有平庸的创新取得成功。而勇敢、细致、清晰、执行完美的创新往往失败。

所以问题是：你是宁愿做某件意义重大的事情，结果是悲壮的失败，还是做某些无关紧要的事情，结果是小战告捷？

我的建议是：让汤姆的问题萦绕耳旁。那是一个绝妙的问题。那是一个面向我们所有人的挑战，它能激励我们在竞争中发挥最大潜能，到达巅峰状态并拥有最大热情。

规则22 用客户的眼光看世界

我父亲是一位杰出的推销员。

在他去世之前我对此一无所知，圣路易斯各地——实际上是全国各地——的人们向我讲述我父亲对他们的意义。他们是我父亲的顾客。

令我疑惑不解的是，在我成长的过程中，父亲一直说他讨厌做生意，他想做历史学教授。他的父亲去世的时候，他不得不离开学校，做力所能及的事情帮助母亲养育家里的弟弟妹妹，那时他差几分就能拿到硕士学位了。“二战”爆发后，他参军了。“二战”结束后，我多才多艺的母亲教他拍照片。他退休之前一直是个梦想成为历史学家的相机推销员。

他讨厌做生意，那他怎么成了杰出的推销员？

他喜欢人，喜欢帮助人。对他的顾客而言，不管是举行大型家庭度假活动，还是小型周末烧烤，我父亲都会借给他一个相机，教他怎么使用，不附带任何条件。他还有一个喜欢桃子的顾客，每逢秋季他驱车前往伊利诺伊州，就会带去一篮农场水果。另一个顾客的孩子是红雀队球迷，他就为他们带来T恤衫、钥匙链，或任何带有红雀队徽章的东西。

他工作的公司，先是叫史坦利照相馆，后来改名为福克斯—史坦利照相馆，再后来是福克斯照相馆，出售相机、胶卷以及提供照相洗印服务。

他服务的客户，包括安海斯—布希、孟山都、拉尔斯顿—普里纳、麦道公司、布朗鞋业、圣路易斯红雀队。这些客户不是在购买相机、胶卷以及照相洗印服务，他们期待的是我的父亲——他的精力、他的知识以及他对顾客的真正兴趣。不管怎样，他深知商人要用客户的眼光看世界。

我在成长的过程中不断被告诫这一点，但在1994年以前没有对此引起重视。那年，我和比尔 · 泰勒正寻找支持者为《快公司》杂志提供资金。一方面，我们深信世人需要一本全新的商业杂志。另一方面，世人似乎也同样深信商业杂志已经够多了，谢天谢地，不需要更多的商业杂志了。

《财富》杂志的编辑曾说过，他们看不出我们所倡导的和他们已经在做的有什么不同。《经济学人》杂志说他们看不到能接受我们办刊方式的读者。我们拜访过的每家出版社都否定了我们的想法——直到我们见到了弗雷德 · 德瑞斯纳和莫特 · 朱克曼。他们拥有《大西洋月刊》、《美国新闻与世界报道》，相对于其他杂志社来说，他们要小得多。我们把这看做一个优势：这意味着我们能够直接从他们那里得到答案，而不必在官僚体系中等待层层决策的结果。

向弗雷德和莫特介绍来意后，我们与汤姆 · 埃文斯展开了严肃的讨论，他当时是《美国新闻与世界报道》的出版人，后来又是整个公司的总裁。我们全力展示我们的编辑理念，并承诺我们将在商业杂志领域开拓出新的空间，希望以此打动汤姆。那就是我们在推销的东西——而且我们在努力地推销，就像爱上了自己的创意的企业家那样极度渴望成功，因此而本能地自我推销。

汤姆则冠冕堂皇地向我们述说生活的现实。弗雷德和莫特对我们的主意不感兴趣。他们遇到了问题，而我们是一个潜在的解决方案。他们的问题是设备过剩：他们铺了个大摊子——广告销售人员、纸张和印刷合同、与广告商的关系、发行合同——他们需要另一家杂志使用他们过剩的设备，可以是《快公司》，可以是《高尔夫球老手》，也可以是任何他们感兴趣的而且有可能一炮而红的刊物。

我意识到，和很多创业者一样，我当时站在了望远镜的错误的一端。我是那么沉浸于自己创意中的闪光点，以至于忽略了望远镜的另一端：我没注意客户看世界的眼光。

我调整望远镜，用弗雷德和莫特的眼光看世界。他们需要某个人来帮助他们解决问题。我意识到其他某个杂志公司之所以取代了《快公司》杂志，不是因为我们的创意不好，而是因为我们不是他们的问题的答案。现在看来，如果当时我想向弗雷德和莫特推销我的杂志，首先我必须承担责任，帮助他们解决问题。我不应扮演一个过于积极的销售员的角色，而应扮演一个理解和尊重他们的伙伴角色。如果我知道如何解决他们的问题，或许他们也会同意解决我的问题。

感言

画家所理解的绘画中客体和主体之间的差别：画布上的花瓶中可能会有花，但花不是绘画的真正主体。电影制作人所理解的影片情节和内容之间的差别：故事可能会包括一个恋爱事件，中途可能会被战争打断，但故事的真正内容却是希望战胜了玩世不恭的态度。甚至连政治家也理解类似的差别。在竞选活动中，他们制定各类问题的政策取向，但那却不是竞选的真正内容。实际上，候选人的政策取向以及谈论那些取向的方式为选民提供了一个评价该候选人个性的方法。这属于正文与其潜在意思之间的差别。

但是，出于某些原因，创业者和商业领导者很难区分以上这类差别。银行认为他们是在出售贷款，但客户却认为他们购买的是诚信；航空公司认为他们出售的是旅行服务，但客户却认为他们购买的是方便；计算机公司认为他们出售的是特征，但客户却认为他们购买的是客户服务。异想天开的创业者甚至更糟糕——他们认为世人绝对需要他们的科技、他们的设计、他们下一件堪称伟大的事物。我敢保证他们几乎从来不从望远镜的另一端观察世界。

如果你想离客户更近，观察他们买的是什么而不是你卖的是什么，就试一下这个思考实验吧。让我们一步步地以望远镜来作比喻：你从哪一端观察？你从自己的那一端看待客户、打量他们、向他们出售自己已有的产品或服务吗？或者是：你以客户的眼光反视自己，思索是否有一个意义重大的解决方案？你的客户真正有兴趣购买的东西是什么？客户体验的潜台词是什么？他们对自己感兴趣的东西作何解释？一旦你以客户的眼光看待世界，你要怎样告诉他们——以及你非常乐意提供他们想要的东西，以此作为你们持续发展的关系的一部分？

开始从望远镜的另一端观察世界，使你能够做下面四件事情并开始思考：

1. 少说多听。
2. 少责备，多提问。
3. 少关注产量，多关注反馈。
4. 购买更少的广告，搜集更多的数据。

杰出的推销员往往被描绘成夸夸其谈的人。而实际上，他们是杰出的倾听者。他们有理解他人的天赋，真正有兴趣解决他人的问题。他们是天才的业余心理学家。杰出的推销员让客户告诉他想买的东西——然后以此为基础敲定买卖。

你想知道自己真正卖的是什么吗？不用你告诉客户，问问客户吧。用客户的眼光看世界的旅程开始于一个简单的问题。

规则23 早上为什么起床，晚上为什么睡不着

每个杂志都有一个口号，即：封面上杂志名称下方那令人震撼的一行小字。可是，最初我们不知道《快公司》杂志该用什么样的口号。一番思来想去之后，我们暂定了“聪明的生意怎么做”。尽管凭直觉我们认为这并不完美，但至少在同一行字中出现了“聪明”、“生意”和“做”的字眼。

大约在我们的新杂志创办 18 个月后，意想不到的事情发生了。商业突然间变得“酷”了：新经济成了头版新闻、网络在膨胀、科技在腾飞。创新是下一个大事件——每次都是下一个大事件。突然间，美人国对工作有了一种新态度：工作并不一定是件苦差事。你所做的工作可能让你卓尔不群、让你变得富有、让你魅力无穷。

聚会的时候，人们在谈论……工作。是的，当时出现了新经济，但随之而来的还有新的对话。人们想谈论他们工作的地方。他们由衷地对工作场所发生的事情感到兴奋。你可以创造一个新的职位名称，

你可以远程工作，你可以在某天成为某团队的一员，并在第二天就提交你的工作任务。我不断听到一个问题被作为新对话的开场白："你在做什么工作？"

那成了我们的新口号。"你在做什么工作"把握了新兴经济的原始力量和远大前途。那是一个问题，同样也是一个挑战。那预示着随着所有新鲜事物的发展，你必须做一些让自己的创新能力得以发挥的工作。

那就是改变对问题的认识，至少在我的心中是这样的。那不仅是关于人们在做什么工作。第一个问题是他们早上为什么起床。他们的意志力从何而来？工作中有什么值得兴奋的事情在等待他们吗？我认为我们每个人都要回答的问题是："早上为什么起床？"

这个问题也来自《快公司》杂志。我们以采访思想领袖和有创新意识的主管而自豪——在其他方面，我们也尽力做到与众不同。在阅读其他商业杂志对首席执行官的采访报道时，我们看到更多的是吹捧，似乎只是为了给这个主管提供一个宣传公司的平台。所以我们喜欢用一个问句开启对话："晚上为什么睡不着？"这是显示我们与众不同的信号，我们想从受访者那里得到真实的信息。这成了《快公司》杂志的保留问题，就像詹姆斯·李普顿在《演员的幕后生活》节目中问嘉宾，"当你在通向天国之门的时候，希望从圣彼得教堂听到什么"的时候那样值得信赖。在大多数情况下，当我们问某个首席执行官为什么晚上睡不着，得到的都是严肃的回答——因为严肃的商务人士珍视任何谈论重要事情的机会。偶尔我们会得到条件反射式的回答，"我晚上睡得很好，谢谢。"那样的回答恰恰告诉了我们受访者是什么样的人。

早上为什么起床？

晚上为什么睡不着？

如果不认真对待这两个问题，你就在浪费宝贵的时间。

感言

有些人只是有份工作。

而有些人正在做自己喜欢做的事。

有些人仅仅是在忙。

而有些人在全神贯注地做某些事。

这就是人和人之间产生差别的原因。想一下自己的职业生涯，你每天至少花 8 个小时工作，一星期 5 天或更多。一个星期最少 40 个小时，就算一年 47 个星期。那么一年有 1 880 小时。整个职业生涯呢？做一下算术题吧。

早上为什么起床？这是一个美国式职业生涯的悲剧。每个民意调查显示的答案都不同，但总体而言，可以有把握地说，50% 以上的美国工人讨厌他们的工作。对于他们来说，“早上为什么起床”这个问题的答案必然是“我就是需要钱，我无路可选，我是如此麻木以至于想都不想就做了。这个问题无所谓。”

一家公司的员工释放活力的水平在一定程度上衡量着这家公司是一个理想的工作场所，还是一条不断流失人才的沉船。我在拜访一家公司的时候，在到达其办公场所的当刻就能感觉出这一点来。空气中会弥漫着在一起努力工作的人们所发出的嗡嗡声。那些地方的人们知道自己为什么一大早起床而且感觉良好，这与另一些地方完全不同，那些地方的人们认为工作体验的本质就是忧虑和苦闷。

晚上为什么睡不着？这个问题似乎又让美国成为一个是非之地。正如关于有多少美国人讨厌自己的工作的统计，也很难确定有多少美国人每晚服用安眠药。最准确的估计是至少有25%的美国人在没有化学药品的帮助下晚上难以入眠。你可能会惊叹他们晚上为什么睡不着。这可能与有50%的人讨厌自己的工作有关：他们睡不着是因为没有什么事情促使他们早上起床。

我喜欢“晚上为什么睡不着”这个问题，因为这给领导者一个诚实回答的机会。职场人士整天忙碌的事情中，大多没有多少长远影响力。他们几乎没有机会思考那些对公司的长期发展真正重要的事情。那些深深关心社区问题和社会变化的商业领导者发现，日常事务占据了他们处理重大事务的精力。我发现，让领导们晚上睡不着的事情是那些在日常工作中没有时间和机会认真处理的事情。而且，我还发现，领导们也真诚地相信，确实有些非常值得关心的事情让人晚上睡不着。

我们都想从事我们能为之兴奋的工作。我们想关心与我们有关的事情。

现在有一个机会，你可以列出表格，这样你就可以做这两件事情了。

拿出一叠小卡片。抽出其中一张写下“早上为什么起床”的答案。尽量保持在一句话之内。如果你不喜欢自己的第一个答案，可以扔掉它重新回答——只不过是扔掉一张小卡片。继续这样做，直到你得出一个自己认可的答案。在你答完第一个问题之后，用同样的方法回答第二个问题：“晚上为什么睡不着？”好好思考，直到你想出一个合乎实际的答案。

然后大声读出那两个答案。如果你喜欢它们——如果它们能给你目的感和方向感——那么祝贺你！把它们当做你的指南针，随时考虑它们是否仍然适合你。

如果你不喜欢其中一个答案或两个答案都不喜欢，就会有一个新问题：怎么办？

因为不管你的答案是什么，你每年都花大约 2 000 个小时的时间在做这样的事情。你有必要想出不但自己认可，而且也可以成为生活目标的答案。

规则24 要想改变比分，先改变比赛规则

请谈谈你对“感恩而死”乐队的看法，在我的书中，杰瑞·加西亚是一个聪明的商人，他是一个手指略有残疾的吉他手，他除了自己的乐队还在其他几个乐队表演，偶尔抽出一些时间卖画作。世面上不仅有写有他名字的领带，甚至还有以他的名字命名的冰激凌。他还为“感恩而死”乐队制定了一个竞争策略：“你不能只想做到最好，而应成为唯一。”在我的管理大师列表上，他被列在最前面。

在制定《快公司》杂志网站战略的时候，我决定借用“感恩而死”的“成为唯一”的理论。如果你参加过标准的摇滚音乐会，就会听到他演出者在表演前的全体宣言：“不要拍摄，不要录音，尽情享受演出。”

“感恩而死”除外。他们有截然不同的另外一套经济学理论，结果产生了另外一种商业模式，也使得演出前的宣言截然不同：“你们可以随意录制喜爱的内容！可以随意制作光盘进行出售、交

换或买卖。”

他们的乐迷照做了，专心致志地在现场录制自己最钟爱的乐队的表演，于是产生了乐队光碟最早的社会网络版本。乐队反对了吗？并不完全是这样。因为他们知道他们的乐迷制造越多的访问量——即使他们没有从中直接获得哪怕是一分钱的收入——但他们最终会卖出更多的门票、T 恤衫、不干胶贴纸、CD 以及其他“感恩而死”乐队成员随身用的器具。放弃对现场演出音像制品版权的收费，其他一切都收费。这种方式产生了效果：杰瑞 · 加西亚去世的那年，“感恩而死”是美国总收入最高的摇滚乐队。

当然，杰瑞 · 加西亚不是改变唱片行业经济学的第一人。19 世纪 40 年代，麦考密克在其收割机生意中也是这样做的。麦考密克在 1843 年取得了一种收割机的专利，他因此而被人们记住——但那实际上不是他的发明。麦考密克有好几个竞争对手，但最开始没有人卖收割机，麦考密克也没有卖。问题是农户买不起那种机器。麦考密克改变了这一切：他发明了一种分期付款方式，让农户能够买他的收割机，在三年期间，用机器生产带来的盈余再来偿还贷款。

只要你留心，就会发现每个行业中都有一些公司通过改变规则而改变了比赛得分：从剃刀到相机，从计算机到飞机，从杂志社到非营利机构。某些公司开始时只是重新设计所在行业的一些规则，而结果往往是重新设计了整个行业——并拥有了它。

感言

如今的比赛关键在于改变得分。

产品和服务的正面交锋属于桌面上的赌注。创新者正探索一种新的商业模式，力图动摇竞争对手并获得突破性的商机。事实上，最近一份针对知名公司高管的调查中，IBM 发现目前所有高管的最大担心就是在世界上某个地点——某间车库或大学宿舍里——某人想出一个能战胜他们业已建立的商业模式的新模式。

怎么办?

首先要分析现状。行业目前的标准经济模式是什么？如果你把它打乱，它还会运转吗？它依靠的假设是什么？它如何成了行业标准？它为什么成了行业标准?

用客户的眼光来看它。确切地说，客户买的是什么？公司为什么赚到了钱？回到商学院问这样一个基本问题：你的生意属于什么行业?

分析标准商业模式之后，观察自己行业之外的情形。你可以学一些新技巧——或至少借用一些灵感。克雷格列表的创始人克雷格 · 纽马克会对你的行业做什么？如果所有的生意都移到了网上将会怎样？如果以前客户需要付钱购买的东西现在变成免费了会怎样？免费，正如格言所说，是一个相当好的价格。如果你是金 · 吉列，赠送剃须刀，你会收多少钱？更进一步说：本来应该是免费赠送的东西，你却在收费，这样，你是否损害了自己的生意？（当各家日报看着他们的发行量下降时，一些评论家认为，如果免费赠送报纸会更有意义。）

当你观察自己所在行业以及其他行业的现有规则之时，试着找出新的平台。你能想象那些反映客户习惯、客户体验或客户忠诚度的变化的新收入流吗？新兴科技正在开创新的联系方式——或使客户在产品科技含量还不太高的情况下，渴望回到过去美好的日子？不要忘记，每个人都认为零售店已经过时，所有的商业活动都转到了网络上。然后史蒂夫·乔布斯开了带有“天才吧”的苹果商店。反直觉可能会成为一种卓越的经济模式。

有多种改造经济模式的方法。但大多数知名公司都不愿那样做，因为那意味着动摇他们自己现有的模式。

而这就是那些车库里和大学宿舍里的创新者和创业者所期待的。

规则25 要想改变比分，先改变客户预期

时光回到1970年，尼尔 · 戈德施米特在竞选俄勒冈州波特兰市议员。他的竞选口号印在宣传手册上，挨着他的照片，他的口号是：“尼尔 · 戈德施米特将把市政厅带给你。”（一个选民在街区遇见尼尔 · 戈德施米特，看见他的口号，跟他说，“别把市政厅带到这里来，我们已经有够多的问题了。”）他跟选民说他想负责城市规划工作。竞选获胜后，市长分派职位的时候把城市动物收容所的工作交给了他。尼尔负责管理流浪狗，而不是城市规划。

那就是我从政界学到的一个重要商业规则：改变客户预期，你就能赢得他们的选票。

由于只负责动物管理，尼尔有足够多的时间去城市的街区走走看看。他每周都用三个晚上去不同的街区咖啡屋，在那儿，人们会向他倾诉他们感兴趣的事情或令他们不开心的事情。结果他得知，流浪狗

是一个严重的问题，特别是对年长女士来说，她们怕自己被群狗袭击。道路上到处是凹坑，交通问题也很严重。人们希望有更多的停车指示牌、减速装置以及任何可以缓解交通状况的措施。住宅区入室盗窃现象是一个问题，陌生人对陌生人的街头犯罪也是问题。市民每天都在面对这类问题，而鲜有机会与当选官员面对面谈论这些。但现在这里有个年轻的、新当选的市政府委员在倾听他们，同时也与他们分享他自己的想法，目的是为了改变市府的工作方式。

两年后尼尔当选市长。在那个时刻，他比任何人都更清楚城市每个街区的情况。他知道每个凹坑的位置，他知道哪里需要放置一个标识，他知道哪里有社区协会，他知道哪里需要做更多的工作去帮助人们组织一个社区协会。甚至在成为市长之后，他都保留着光顾咖啡屋的习惯——他还办了个每月一次的电视电话节目，在那里，观众可以通过无线电波向他提问。

作为市长，他终于能够过问城市规划工作了，这是他从一开始就关心的问题。他还在市长办公室里设置了一个方便市民申诉的特别职位：一位名为苏珊 · 克尔的具有耐心和同情心的女士得到了这份工作，我们都称她为“带狗的女士”。那些需要投诉的市民或需要帮忙对付城市官僚的市民直接向她求助。对于那些打进电话寻求帮助的人们来说，苏珊就是一个有力的拥护者。而对于我们这些市长手下的职员来说，她不断地提醒着我们整件事情是从流浪狗开始的。

感言

不管你称他们为选民还是订阅者，在市政府和《快公司》杂志的工作经历之间，我学到了四种通过改变客户预期来改变比分的方式。

预期。一直以来都是彼得·德鲁克说得最好，“通往成功的最好方式是在问题出现之前就预料到它们，努力避免失败。”如有更能说明此道理的例子，那就是在10年前，全球力争阻止计算机系统因“千年虫”问题而崩溃。全世界共同花费了大约2 000亿美元来避免崩溃的发生——预期，和投进去的资金一起，共同为避免灾难作出了贡献。

并不是只有大问题才值得你注意。可以是在你卖的电动玩具中加入几节电池那样简单的事情，可以是在客户服务专线中明确显示你准备了800多个电话号码那样友好的事情。你的预期可以向客户表明你已经提前想到了那些问题。它不仅为你的服务加分，而且在很多时候也可以防止更大问题的出现。记住这句古谚：未雨绸缪。

激励。当尼尔·戈德施米特走出去，在选民的生活区与他们见面的时候，他是在给自己找问题。他鼓励波特兰人提高水准，提升期望，对当选官员提出更高的要求。暗含的承诺就是如果他当选，他将不辜负他们的期望。那是一个益处和风险并存的战略。

益处是增加市民的参与度；风险是令他们失望。

对如今的客户而言，也是同样的情况。我们都变得疲惫不堪，大失所望，服务台不能提供帮助，800个电话号码也只能提供自动的菜单选项。期望变成了糟糕的客户服务，而且还在变得更糟糕。（在你最喜爱的搜索引擎中输入“糟糕的客户服务”，看看会出现什么结果。）

想象一下，如果你邀请客户给你反馈消息你会得到多少回复。如果你为客户发明了一种管家式的服务。如果你雇用一个“带狗的女士”的服务团队去倾听客户的声音并成为他们的拥护者，那就是承诺。当然，那也有风险：你不能承担超额承诺和未能履行的后果。

欢迎。即使你不通过激励客户反馈消息来使自己更上一层楼，至少可以显示出对客户的反馈信息的欢迎。但那意味着能让客户真正感觉受到欢迎，而不只是在乎他们的钱。

有很多种让客户感觉受欢迎的方法，从促进客户与公司经营活动的互动，到为日常问题提供便捷的解决方案。如果你真正倾听他们，客户将会告诉你怎样表现出你在意他们。或向优秀公司学习：去看看亚马逊网站如何改变客户服务，或者看看丽思卡尔顿酒店如何在服务客户方面获得一个个奖项。

大多数公司的服务都是差强人意，以至于你都不需要做很多事情就可以使自己脱颖而出。给人感觉大多数公司的经营方式都是：公司首席执行官采纳的是“让买家小心”这样的公司信条，然后抱怨客户忠诚已经销声匿迹。他们把它扼杀了，而现在却感叹它为什么不存在了。

补救。让我们回到 1990 年，当克里斯托弗 · 哈特在哈佛商学院教书的时候，他与人合著了一篇文章，题为《服务补救是有利可图的艺术》。文章的理论很简单也很优秀：每个公司都犯错，但问题在于，你怎么对待错误？答案就是服务补救：快速、真诚、高效地回答。重要的是客户如何看待你在服务补救方面作出的努力。有时服务补救可以成为一条建立你与客户之间更紧密联系的捷径，因为那样你会显得更加平易近人。想象一下：一家公司表现得平易近人。这就是一个独特的卖点。

规则26 软实力即硬实力

在过去30年中，有两本商业书籍在人气和影响力方面处于同类书籍的翘楚位置。

第一本是汤姆·彼得斯和鲍勃·沃特曼合著的《追求卓越》，出版于1982年。第二本书是吉姆·柯林斯写的《从优秀到卓越》，出版于2001年。两本书的出版时间相隔20年，然而它们却有一个共同点：商业成功取决于员工的素质以及你如何对待员工。

软实力即硬实力。卓越的员工成就卓越的公司，继而引领公司实现卓越的财务业绩。公司的发展规律就是这样，而不是相反的方向。

《追求卓越》出版之后的几年，汤姆·彼得斯接受过一次采访，他说这本书的主要目的是推翻“财务人员的专横”——美国公司里财务功能的支配地位。吉姆·柯林斯得出人才推动财务业绩的结论：

谁在公共汽车上，谁没在公共汽车上，以及谁坐在公共汽车的哪个位置上，最终比公共汽车驶向何方更重要。把员工安排妥当了，你就更有可能把其他的一切事情都安排妥当——包括应付路上将遇到的不断变化的情形。

两本书一共售出 800 多万本。汤姆和吉姆不断收到演讲邀请，向世界各地的高管们介绍他们的观点。

所以问题就在这里。既然商界领导们都渴望读他们的书，倾听他们的演讲，可为什么又不听从他们的建议呢?

为什么掌握公司内最重要权力的部门是财务而不是人力资源？为什么被视为下任首席执行官的候选人是首席财务官而不是人力资源副总裁？既然有如此多的公司在年报中声称，“员工是我们最重要的资产”，那为什么在经济滑坡、股价下降的时候员工成本是第一个从预算中减掉的因素？而当一家公司宣布大规模削减其最宝贵资产的时候，为什么股市会以一天的成交好势来回报公司?

这些问题看似富有挑战性，但我想我们都知道答案，只是对大声说出答案感到不舒服。

为什么我们偏爱财务部门而不是人力资源部门，偏爱数字而不是员工？那是因为数字是简单的而员工是复杂的。我们能控制数字而不能控制员工。数字似乎遵循理性的规则而员工通常都不是理性的。数字对应我们大脑的左半球，员工对应我们大脑的右半球——当他们发挥最佳状态的时候，就是那样的。我们青睐数字而不是员工，因为你可以操纵数字，还会被认为是一个财务天才，但如果你操纵员工的话，就会被认为是一个卑鄙的家伙。

但是，为什么商业倾向于财务而非人力资源，这其中还有一个更深层次的原因。美国资本主义运转的方式是，金钱比员工更重要。金钱是保留业绩的默认标杆。只要钱够多，美国最差劲儿的商业领导者也能登上《财富》、《福布斯》或《商业周刊》的封面。金钱等于成功，而成功就等于出名。在美国的商界名流文化中，金钱不是一切罪恶的根源，而是所有成功的尺度。相比之下，那些努力把员工放在第一位的领导者却被标记为软弱、无力和失败。我们希望我们的领导者是坚强、强硬和有决策魄力的——即便那意味着更大幅度的裁员，即便我们知道在基础层面上那是错误的。

我们知道金钱买不到幸福。我们知道汤姆 · 彼得斯和吉姆 · 柯林斯是正确的：从长远来看，要通过塑造在企业里工作的员工来塑造一个企业。我们知道从长远来看，那些善待员工的领导者将胜过那些胁迫和剥削员工的、制造有毒企业的领导者。

那是从长远来看。

从短期来看为了金钱更容易。

那是股市所回报的东西。那是公司考核业绩的方式。你需要做的一切就是每个季度制作数据表格。从短期来看，那是收益之所在，因为那就是操纵比赛的方式。

那就是为什么汤姆 · 彼得斯称之为“财务人员的专横”。之所以称为专横，是因为它要求某种我们认为是错误的业绩。尽管如此，它还是对大多数领导者参与比赛的方式发挥着一种专横性质的控制作用。

如果你想改变比分，你就不应向那种操纵比赛的方式屈服。你面临一个选择，一个最古老的选择是：要钱还是要命。

感言

这不是关于金钱是否重要的争论。而是一个在某种层面上属于个人反思而在另一种层面上属于数学的问题。

个人反思问题是简单的：你想做一个什么样的领导者？你想经营一家什么样的企业？你想创造一种什么样的文化？

在《快公司》杂志的第5期中，维萨卡的发明者狄伊·哈克将这个问题浓缩为一个我们都能参与的测试："谁是你见过的最差劲儿的老板？不要像他那样。谁是你见过的最好的老板？像他那样吧！"

如果你不想像目前所在公司的老板一样，问你自己为什么。你必须抛弃哪些价值观？你必须采纳哪些价值观？你不得不作出什么样的妥协？最后，你愿意做那样一个人吗？你愿意那样对待别人吗？你愿意拥有那样的职业生涯吗？

同样的问题也适用于你作为一个员工、目前还不是领导者的情况。如果你无法拥有理想的职业生涯，你的选择是什么？你能在公司的大环境里打造一个小港湾吗？大公司的一个好处是——甚至包括那些文化氛围不健康的大公司——它们大得足以容下亚文化的繁荣。或许你的小港湾可以作为公司整体文化中一个起调剂作用的潮头堡。

关于数学问题。专横领导总是认为经济学站在他们那一边——他们认为以金钱为目

的的管理方式将会产生更好的结果，

根据他们做数学题的方法，结果会证明方法是正确的。

但是，汤姆·彼得斯和吉姆·柯林斯断然论证了这个等式的答案与专横领导所采取的方式是相反的：更好的方法产生更好的结果，投资于员工使你拥有更好的团队，更好的团队创造更好的文化，更好的文化成就更具生产力的企业——那就是产生更强大、更长久的财务成果的因素。

相反的方向是行不通的。赚大钱不能够创造一个好的工作场所、一个健康的公司文化，甚至不能产生快乐的、积极性高的员工。这个数学问题只有在你以人为出发点并努力达成财务成果的情况下才能起作用。

你不一定非要相信我的话。

你可以阅读《追求卓越》和《从优秀到卓越》。

如果你已经阅读过那两本书，可以再读一遍。它们是那么优秀，也很伟大。

规则27 要想学谷歌，先学梅根 · 史密斯的三个规则

创新实验室位于旧金山 SYPartner 办公室的正中央。实验室空间的设计风格、玻璃墙和时尚的办公环境暗示那里能诞生时髦的、酷的和充满创意的东西。那是一个你能轻易想象新潮玩意儿大量涌现的地方。那是一个你希望受邀体验新潮玩意儿的地方。

在 2006 年 6 月的两天里，这个充满激情的空间是到访纽约的日本社团召开试验性会议的场所：连接社区，创新者聚会，日本和美国的商业、文化和社会领导者组成的松散联盟。聚会的目的集中在社区和创新的互动上，即在两个传统和文化截然不同的国家之间引发对话、增进理解、密切合作。

我是那里的主持人——这意味着我的工作是认真仔细地倾听每一位发言者的发言。在一个自发创造力充溢的团队里，我深知即兴评论也能给我留下深刻的印象。

我正在仔细倾听着，谷歌的新业务开发及策略总监梅根 · 史密斯

无意中说漏了她的三个小规则——是那种我宁愿立刻就贴在脑门上的重要规则。

一提到谷歌，你会听得更认真。加上梅根的职位，你会自然而然地竖耳倾听。其实，那根本不是梅根 · 史密斯的真实写照。她在谷歌的工作以外做的一些事情足以给人留下更深刻的印象：她拥有麻省理工学院机械工程专业的学位，在一个早期移动计算公司工作过，在一个同性恋社区网站做过首席执行官。谷歌只不过是她的专职工作，她还是斯坦福大学的路透社数字研究员以及 Design That Matters 的顾问，Design That Matters 是致力于为第三世界国家和愿意为之提供帮助的年轻工科学生之间建立联系的一个组织。此次活动中，据我观察，梅根喜欢站在一边，语气平静。她职位很高，却不怎么爱出风头。她努力与每个人分享工作经验。

梅根的规则是什么？（因为是工作笔记，她没有把它们标为规则，但给我的感觉就是规则，所以我立即记了下来。）

梅根 · 史密斯的三个规则：

1. 客户参与。
2. 客户驾驭。
3. 开放式系统战胜封闭式系统。

现在，你也知道了。

那个玻璃墙的房间挂满了箴言。那里有大量的有关商业、社会变迁以及商业和社会的交叉领域的真知灼见。可是梅根的规则是那么出类拔萃。我们应该从昨天就开始那样做。如果你是个聪明人，已经在实践梅根的规则了，那很好。你目前即使还没达到领先状态的话，也已经进入了比赛状态。但如果你还没开始实践这三个规则，你要问自己为什么还没开始。你要立即行动。此时此刻。

因为，有可能某个知道“梅根规则”的竞争者已经开始在某个地方实践它了。那意味着你有麻烦了。

感言

每位我曾见过的领导者，从政界到商界，都有一个共同特征——都是控制狂。他们都认为一切尽在自己的掌控之中。毫无疑问，这是我们这个时代产生的最大幻觉。任何认为自己控制一切的人都需要审视他选择的12步计划。任何认为自己控制一切的首席执行官都需要坐下来从头到尾观看《办公室的故事》。任何当选官员如果认为自己能操纵自己的职业生涯和权限的话，那他需要去电影院好好看看《总统班底》。

因为梅根第四个没说出来的规则是“不在你的掌控之中”。在谁的掌控之中呢？现在我们有点头绪了！

客户参与。无所谓你的行业或工作种类。生产者和客户之间的界限在逐渐模糊。过去，医生常常是上帝。而如今，病人出现在医生的办公室，拿着自己的诊断书和从网上打印的资料作参考。不管专业记者是否高兴，博客写作者成了新闻记者。甚至最笨的广告商都已经发现了让客户自己制作广告的竞争诱惑：客户是他们自己的营销商。

客户驾驭。对于客户和你一起坐在车里的想法，你会感到自在吗？好！现在是提出更多要求的时刻。再说了——是客户坐在驾驶座位上，而你是乘客。

在一个信息经济时代，看似灵活的东西——航行，其隐喻却远远超过了隐喻本身的含义。客户确实是在网络上转悠、寻找娱乐或信息网站。在卫星无线电设备和菜单选项或配有TiVo有线装置的帮助下，听众或观众也可以在遥控器上操作，可以跳过广告，录制他们喜爱的内容，可以在任何时候预约他们的选项。客户这样做不是因为他们多变，而只不过是在驾驭。

你的工作是什么？你的工作就是要学会接受你不再是驾驶员这个事实。你的工作是为驾驭者提供娱乐。你更放松，你的客户也会更放松——你也希望驾驭者放松，难道不是吗？如果被困于严重的交通堵塞，一家公司要比一个紧张的驾驭者感觉要好些。所以，你要做的事情就是尽你所能提供最优越、最愉悦的客户体验。就是这样。

开放式系统战胜封闭式系统。这方面有大量的商业案例存在。其中一个案例最突出：苏联解体。有些人相信这是罗纳德 · 里根的作用，而另一些人援引罗马教皇的影响力。我认为原因在于开放式系统的力量和封闭式系统的无力——特别是在一个全球信息化的经济时代。如果在“二战”中美国的制造能力是民主兵工厂，那么我们的开放式系统模式就是未来竞争中的网络民主。

如果你的公司还处于封闭式系统，你可以决定：你想扮演康斯坦丁 · 契尔年科或米哈伊尔 · 戈尔巴乔夫的角色吗？如果你想站在历史进程的正确一端，你就会接纳开放式系统。开放式系统节省资金、提高速度、广邀参与，要求灵活性以及广泛的民主。开放式系统打破障碍、强调务实精神、看重人才以及奖励实效业绩。开放式系统战胜封闭式系统。那是面向未来的比赛，谁先采用谁就获胜。

规则28 优秀的设计是获胜的法宝

在几年前离开《快公司》杂志后，我去往各地旅游，注意到一个全球性的主题，就像一篇乐章在世界各国同时演奏。

在东京的一个创新大会上，我坐在一位老朋友身旁，她是一位为日本大企业效力的商业社会学家和战略顾问。

“日本曾经是廉价制造品出口国，”我说，“但那段日子明显已经过去了。日本新的国家战略是什么？”

“那已经成为过去，”她告诉我，“日本谋求在设计质量上参与全球竞争。”

我明白了，日本对潮流和款式有敏锐的感觉。

那之后不久，我前往丹麦参加一个会议，各路建筑师、工业设计师和平面设计师济济一堂。我漫步在哥本哈根，不禁欣赏起那些美丽的商店和店铺、舒适的旅馆，以及当地的整体氛围。然后我与组织此次会议的友人一起喝咖啡。

“丹麦有着高工资、高税收和昂贵的社会保障体系，”我说，“但是你们的制造业正移往低成本国家。你们未来的战略是什么？”

“我们不担心未来，”她说，“我们想在设计质量上竞争。丹麦的设计举世闻名。”

我想你应该能看出门道来。

在佛罗伦萨、圣保罗、斯德哥尔摩，我得到的都是同样的回答。多伦多因其城市设计而自豪。在中国上海的规划之城东滩，人们正在建造一个生态城市。新加坡正在重新设计整个国家，涵盖从教育体系到网络经济的所有方面。

如今，设计就是差异化。公司运用设计的力量去创造能抓住客户想象力的差异化产品和服务；去重组公司的运营；去展示能传达公司新特征的商标和制服；去发展连接客户和股东的新通信工具；去创建旨在鼓励和促进合作的新办公室；在全球平台上去搜集和分享信息。设计是解决深层社会问题的一种方法。设计也能节省资金，是一种简化产品、让产品变得更易制造和节省制造成本的方式。

在过去，情况不是这样的。从前，设计师处于制造环节的末端。工程师把自己构思的产品雏形交给设计师，要他们“美化它”。那段日子正式结束了。

现今，“偶像派建筑师”，如弗兰克 · 盖里，因为在毕尔巴鄂设计上的出色表现，被中国、迪拜等国家及城市的政府邀请。福特的金 · 梅斯和宝马的克里斯 · 班格尔的设计产生了追随者阵营并引发了大量的模仿者，苹果的乔纳森 · 伊夫的设计也是同样的情况。耐克的迪克 · 哈费德在转行设计鞋子之前接受的是建筑设计方面的教育。戴维 · 凯利是 IDEO 公司的创始人兼董事长，作为斯坦福大学

“D”学院的带头人而受到好评，“D”学院是一个融合睿智商业实践和前沿设计能力的跨学科项目。设计师们全面一致地定义了一种既增加客户的愉悦感又提高公司盈利能力的新观察方法。

对于设计在商业中扮演的角色，过去的模式已经结束。战斗已经结束。

设计制胜。

感言

我猜想你已经明白了。你已经知道你的网站设计比任何30秒的电视广告更能展示你的品牌形象。你知道小事情——或许不是太小的事情，比如你的商标和信头设计，你的业务名片和办公空间设计都随时传递着你的商业信息，不管你是只有一个人的小公司还是拥有10万人的大公司。

但是，设计对你来说也许仍是一个谜。你知道它很重要，但却很难读懂它的语言、规则和技巧。这里有三个你可以破解设计密码的方法。

阅读。如果你是一个与文字打交道的人，希望学习视觉艺术，那么，有很多好书可供你选择。你可以从丹·平克的《全新思维》开始。这本书融知识性和娱乐性于一体；在“右脑经济”日益强化的时代里，你可能会发现自己是一个“左脑商业思想家”。一旦你接受了生活的新现实，你就可以借用丹的练习题和广泛的阅读书目来深入钻研设计领域。IDEO公司的汤姆·凯利写的任何东西都能增强你对设计和创新的欣赏能力；唐·诺曼的经典作品《设计心理学》将帮助你用新眼光看世界。如果你想以一个初学者的眼光看世界，请阅读威尔·麦克唐纳的《从摇篮到摇篮》。

观察。据丹·平克说，美国的医学院逐渐开始带学生参观艺术博物馆。这样做的目的不在于把他们培养成为艺术收藏家。而在于锻炼他们的观察能力——成为志向远大的诊断专家的一项关键技艺。对于志向远大的企业家或商业领导者来说，同样的技艺也是必不可少的，同样的锻炼也有帮助。随着你参观更多的艺术品，你对设计的原理就了解更多。如果博物馆和美术馆对你不起作用，你可以试一下家具和室内设计。你值得花一个下午的时间观察地毯、面料和家具，找出你喜欢的地方和不喜欢的地方，你认为优雅的地方，以及你感觉别扭的地方。如果你无法忍受自己一下午都盯着地毯，而如果你又喜欢车的话，可以到你最喜爱的代理商那里实地考察一番。不要担心价格，你又不打算买它们。仔细观察那些关系车子性能的车身线条、内部细节设计以及便利设施。尤吉·贝拉曾说过，“你可以通过观察得到很多知识。”

购物。不是建议你去买车。而是去买一些各种各样的你可以放在家里或办公室里的小玩意。到距你最近的厨具店挑选各种OXO产品：从削皮器到茶壶，你手中拿着的东西会使你立即就能明白什么是“以消费者为中心的设计”。如果你还没有 Aeron 牌的椅子，就预订一个。

Aeron 牌的椅子被收录在纽约现代美术馆是有原因的。根据你的开支预算，去离你最近的 Bang & Olufsen 商店挑选一个电话机或电视机。需要新的笔记本电脑吗？去苹果电脑专卖店买台新的笔记本电脑。批评家说它动力不足，要价过高。但它具有轻、薄、美的特点。尽情地添加你喜爱的东西到购物单上。拜访你所在城市的古董店，看一下过去伟大的设计是什么样子的。如果你喜欢网上购物，你可以查看以设计为中心的站点。

购物完毕，把你购买的所有居家或办公用品集合在一起，观察一下。在线条、色彩、外观、尺寸、材料、功能方面，这些产品有什么共同点？它们看起来美观吗？使用起来有趣吗？它们的设计中含有情感因素吗？设计中有一种与众不同的“酷元素”吗？

然后，在你考察过它们的外观、给人的感觉以及使用性能之后，查看另外一件事情：价格。那是它们具有的另外一个共同点。杰出的设计要价更高。

买那些东西对你来说太昂贵了吗？没关系：把它当成一次实地考察练习。你不必非得购买，但你需要接受这个观点：设计无处不在，更重要的是，设计意味着一切。

规则29 用对词汇

丹麦的奥胡斯因两件事情而著称：其一是他的咖啡社交能力，无与伦比；其二是培养社会企业家的 KaosPilots 学校，在世界上首屈一指。不过，这些都是题外话了。

在 1994 年“社会企业家”这个词组还不为世人所熟悉的时候，我被引荐给 KaosPilots 学校的创始人 Uffe Elbaek。（这是一个有趣的并列词组：社会和企业家。在 1994 年的时候无疑显得标新立异，可是在今天却成了一个不断扩张的领域，为人们利用时髦的商业模式进行社会变革提供思路。）最初，Uffe 带领 KaosPilots 学校帮助那些不适应传统职业类型的年轻学生。在 Uffe 的领导下，KaosPilots 学校已经发展成为一个独特的综合教育机构，注重培养学生在实际工作中的项目管理能力、系统思考及合作解决问题的能力。

尽管与多数丹麦学校相比，KaosPilots 显得规模小而特别（或许就是这个原因)，KaosPilots 实现了腾飞，Uffe 颇觉自豪，开始用“世界上最好的学校”的称号推广 KaosPilots。这样的吹嘘不能完全当真，因为世界上很多人都从没听说过 KaosPilots。诚然，由于 KaosPilots 致力于为世界做点与众不同的事情，Uffe 的轻度吹嘘也不为过。

然后，Uffe 开始注意自己为学校打出的称号，很快，他有了一个更好的想法。

不少学校都喜欢声称自己是“世界上最好的学校”。每所大学都以那个称号为目标而努力。可是对于 KaosPilots 而言，那不合适——那个称号不能表明学校的理念、宗旨及其与外界的联系。Uffe 意识到，KaosPilots 的存在并非意在成为世界第一，而在于要拯救世界。

所以他把 KaosPilots 的口号改为“最适合世界的学校”。

差别就在于一个小小的介词，以合适的方式用在合适的位置。但它却使世界发生了变化。

感言

1. 马克 · 吐温说:“正确的词汇与差不多正确的词汇之间的区别,等于是闪电与萤火虫之间的区别。”

2. 我的高中德语老师罗伊 · 巴顿伯格说:“如果你认为学习词汇没有意义,你试一下去商店,把买卫生纸说成买砂纸,看看会发生什么情况。”

3. 如果你认为词汇不重要,可以参考一下最近全球金融危机的背景故事,这起源于荒谬的信贷操作——结果使成千上万的人失去房子,也使世界陷入巨大的金融动荡。《纽约时报》曾用头版故事解释了银行如何操纵英语词汇欺骗毫无戒心的借款人。比如“第二贷款”、“净值贷款”等等,哄骗借款人错认为申请次贷对他们的房子没什么危害,用银行家的话来说就是“不会有问题”。

听起来“不会有问题”的事情成了一次历史性的全球经济危机的起因。

4. 动笔之前你不知道自己在想什么。作为一个编辑,我从非常聪明的人那里听到过很多草率的评论,其中也蕴涵一些重要的思想。我一直都这样建议:写下它。那是你了解自己想说什么的唯一方式。看着自己写下的文字,你就会知道自己在想什么。你不必写得像“作家”那么好。不管是一封简单的感谢信、备忘录、

幻灯片，还是一篇针对全体员工的发

言稿，都动笔写下来。看着那些文字，思考：

它们意思清楚吗？它们表达了你想说的话吗？它们是正确的词语——或差不多正确的词语吗？正确的词语意义重大。

5. 动笔之时，你需要注意几件事情。列提纲。事先草拟论点，你可以用一些小卡片来组织思想。除非你是汤姆·伍尔福，有着你自己的独特写作风格，不然，就有必要注意短句和动词的使用。强有力的句式是有好处的。你要避免用被动语态，而且，我小学五年级的英语老师拉斯·比斯尔教我绝不要把不定式分开。如有疑问，就删除它。我们《快公司》杂志有一个规则。你可以删除任意一篇文章的三分之一，这对整篇文章毫无损害。如果使用术语，并不会使你显得更明智——只不过使别人更难懂你。有些商业领导者的文章清晰优美，解释观点的时候不使用长串的缩写词汇，这样效果反而更好。

规则30 伟大创意尽在不言中

伟大创意来自哪里？

一段时间，大公司认为他们知道答案：研发实验室。雇用最佳头脑。让他们研究最难的课题，获得诺贝尔奖项，产生重大突破。

后来，3M公司发明了便利贴，美国公司喜欢上了在主业之余搞点小发明的想法。关闭那些昂贵的研发实验室，让员工用他们10%或15%的时间捣鼓自己的项目。

那样的情况持续了一段时间，直到一些大公司的领导者开始注意到一些富有创意的初创公司。每个行业都有一些其貌不扬的、衣着整洁的人坚持用不同的方式行事，这有点烦人。这些家伙的妙主意从何而来？一位创新分析家估计，“二战”以来，小企业创新项目占美国所有创新项目的95%，这无疑于是给那些大公司的领导者敲响了警钟。

就在这时，大公司学乖了，他们和一些初创公司合伙或干脆收购一些初创公司。宝洁公司表示将让“连接与开发”（C&D）取代“研究与开发”（R&D）。50% 的新主意将来自公司外部。IBM 也采纳了这一政策，因为调查显示：765 位首席执行官认为他们大部分的创意来自公司外部。

那么，伟大创意来自哪里？

来自一线岗位。关于以一线为基地的创新，我听说过的最好的例子来自约翰 · 希利 · 布朗，施乐公司的帕洛阿尔托研究中心的负责人。

约翰 · 希利 · 布朗讲这个故事的时候，施乐公司正面临低迷的经济形势，准备解雇部分技术代表——那些开着车子四处帮人们修理坏掉的复印机的小伙子。公司认为技术代表太多了，因为他们总是有时间在工作的间隙喝咖啡。但正当公司打算从技术代表这一岗位开始裁员的时候，他们联系了约翰 · 希利 · 布朗，并征求他的意见：裁掉那些小伙子对公司有好处吗？

约翰 · 希利 · 布朗回复道：“首先让我们请教一些人类学家吧。”于是，公司请来的人类学家坐在车里跟随技术代表到处跑，看看这些技术代表到底在做什么。

他们发现了什么？技术代表是真正的知识工作者。他们不是对照公司的维修手册按部就班地操作。相反，对于现场发现的问题，他们发明了一些变通的方法来解决，然后，在喝咖啡的时候交流各自总结的实践经验的精华。他们是技术创新者。

施乐没有裁掉技术代表，而是在通信技术方面投入资金，以便代表们更方便相互交流——公司也可以吸取他们的经验。结果，可以解决多年难题的设计方案产生了。

伟大创意来自哪里？来自那些指甲脏兮兮的家伙，奋斗在一线的员工。

来自顾客、供应商及竞争对手。自从索尼公司的创始人盛田昭夫说，顾客从来都不曾想出索尼随身听会出现，因为他们想不到去寻求一种还不存在的东西，向顾客寻求主意的做法不受推崇。但是现在有另一位日本革新企业家正力图论证盛田的说法是错误的。

西山浩平创立了一个名叫 Cuusoo 的网站，这个名字可以大致译为“愿望”或“想象”。顾客可以把自己的愿望发布在网站上，也可以浏览整个网站选择他人在网站上发布的愿望。当一个愿望有了足够多的人“订购”，浩平就满足他们的愿望：他按照顾客的愿望完成产品的制作并将产品送上门。浩平的模式叫做“从设计到制作”，是一个伟大的创意——顾客下的订单是顾客伟大的创意。这是一个合作创新的案例。

来自怀才不遇的员工。要是快乐、积极的员工总是想出伟大的创意，那就再好不过了。恰恰相反，在某些时候，一些被疏远的员工希望证明自己的能力。大前研一是日本最多产的策略家和最著名的管理作家，他告诉我发生在日本某大型消费电子公司的两名员工身上的故事，他们两人被从优越的职位调到了两人都认为卑微的职位：小小的厨房电器部。由于内心充满了愤怒，两人决定向老板证明这个调职安排是多么的愚蠢。为了发泄心中的不满，他们把复仇目标对准他们认为最卑微、最微不足道的厨房电器：咖啡机。

他们从单个问题开始：制作一杯好咖啡需要哪些因素？他们列出一系列变量：水（水温、水质、水量），咖啡豆（新鲜度、质量、研磨度），过滤器（材质、质量、清洁度），玻璃水瓶（材质、质量、温度）。他们花了一年的时间寻找答案，另外大半年制作和测试咖啡机原型。这些工作做完后，他们设计出了一种全新的家用咖啡机。产品、系统、配件——都是新思想的产物。他们不仅重振了咖啡机业务，而且也使整个家用电器业务活跃起来。

他们两人当之无愧地被晋升了。

来自外围。过去通常的情况是离总部越远，出人头地的机会就越小。而今全球化的趋势日益明显。在远离我们家乡的地方可能有酷玩意儿正流行。有些酷玩意儿能转变成大革新。利维斯公司的总部位于旧金山，一心致力于牛仔裤的研发，他们发现在日本有一种没有使用牛仔布，但看起来舒适、穿起来也很舒适的裤子。当 Dockers 品牌出现在美国的时候，当时正值周五休闲装的潮流盛行。它引发了创新的新思想：有很多伟大的创意“在那里”等着我们把它们带“到这里”。医院开始借鉴飞行员驾驶舱清单的做法以减少手术室错误。专业足球队借用了视频和社交网络的技术以简化比赛录像的分析。西方制药公司正探索原始疗法以及用无名的丛林植物研制的药物。美国的电视台高管正考虑引进英国的节目制作方案以创收视率新高。不仅伟大的创意“在那里”，也在未知领域里。

感言

创新是商业王国的货币，它支配着商业对话。将“创新”这个词输入你最喜爱的搜索引擎，你将发现有 150 000 000 万条搜索结果。我现将答案浓缩为四条。

第一，创新是动词，不是名词。以上列出的创新来源都有一个共同点：它们都要求积极地倾听、浏览、学习、调整——各种动词——针对创新者而言。知道到哪里去寻找伟大的创意能起到事半功倍的效果。但知道如何观察和倾听则更重要。

创新的源泉在于自愿走出去观察和倾听——敞开心扉，用全新的视野观察，并在积极主动地倾听之后付出实际行动。如果你想成为一名创新者，你必须一如既往地工作、思考、倾听、提问题、学知识。创新不是一件事情，而是一种为人处世的方式。

第二，创新是不懈努力的成果。在爱迪生实验室里，汗水的比率远远超过了灵感，为 99% 比 1%——除此之外，还需要适当的休息。毫无疑问，伟大的创新来自勤奋地工作和一如既往地努力。那些欲将创新当成一项生意来做的公司把创新转化成一个可测量和可预见的项目。同时，有关大脑的新研究成果表明，人们在没有努力使自己进入创意状态的情况下最容易产生伟大的创意。接近伟大创意的方式就是看太阳的方式：你扫一眼就立刻眼望他处。

第三，跟金钱一样，并非所有伟大的创意都会受到平等的对待。比如说孩子，如果是你的孩子，你会同等地爱他们每一个人。但和你的孩子不一样，你可以对自己的主意进行排名，以可行性、成功的概率、投资回报率以及其他以市场为基础的衡量方法来考虑。想出伟大的创意是一件有趣的事情，而执行创意则需要勤奋地工作。如何行动，由你自己做主。

第四，伟大的创意是真正的商业王国货币——如果你能执行它们的话。要不然它们就只能是黄铁矿。很多公司里有一无是处但点子很多的人，还有一些只做不想的实干者。这两种人你都需要。有好点子的人很稀少——而且通常难以相处。他们能看到我们一般人看不到的东西，而这也是他们的天赋。他们看不到你我很容易就能看到的东西，而这也给他们造成压力。然而，你需要他们，他们也需要有一个可以贡献他们的创意的家园。有区别地对待他们，让他们感觉他们是受欢迎的，把他们的创意向你公司里的实干者解释，尽管对实干者而言，一时半会儿难以欣赏他们。你的工作就是起一个桥梁的作用，让伟大的创意从桥上跨过，从想出它们的人那里走向那些可以实现它们的人。

如果你能以那种文化为基础创建公司，你将拥有这两类人的精华之处。你会发现，伟大创意的最佳来源最终在于你自己。

规则31 一切皆能沟通

如果一个学习商务沟通的学生戴着头巾去上课，会有问题吗？

这个问题是我在纽约的柏鲁克学院作关于商业和通信的演讲时听到的，听众是商务沟通教授。

我的回答：如果你的一切作为都传递着信息，那么学生的着装也明显在传递着信息。戴头巾是一种有意识的行为，那不能被称为意外事件或不经意间的风格宣言。如果一个学生戴着头巾出现在商务沟通课上，可以说他是在练习沟通的艺术。他是否应该多得几个学分，因为他把这门课放在心上，这是另外一个问题——这个学生已经学会了怎么传递信息。

这是问题吗？不一定。如果他戴着头巾去找工作，目标是那种时髦的广告代理公司，这类公司自我标榜为猎奇者集合，戴头巾可以成为展示这类公司特点的一种方式（或者至少能起帮助作用）。如果他不管去哪里都戴着头巾，每天都这样的话，头巾就成了他个人品牌的代言物品，就像史蒂夫·乔布斯的牛仔裤和黑色高领毛衣或马尔科姆·格拉德威尔的蓬松头发。另一方面，如果他在一个恪守传统的公司里也是这身打扮，那里对着装和个人仪表有着严肃的要求——比如要求员工穿制服或深色套装、白色衬衫并系深色领带——一个戴着头巾的年轻人就肯定是个问题，如果他想在那种地方谋个职位的话。

但跟所有清晰的沟通一样，是否戴头巾只不过是一个脚注（或批注）。你是否戴了头巾不重要，更重要的是，你首先要清楚自己是谁，如果你对自己不了解，就很难向别人传达你是谁这个信息以及你所推崇的是什么。一旦你清楚自己是谁，如何表达就变得容易多了。

感言

“一切皆能沟通”的观点是汤姆·彼得斯在《快公司》杂志中的杰作“你就是品牌”一文传递的基本信息。不仅公司、产品和服务可以有品牌，我们都是品牌。现今的经济体充满了知识工作者和自由职业者，以项目为基础的就业和以团队为基础的活动，我们必须确定我们的品牌代表什么含义。我们必须识别我们的品牌价值，然后实现那些价值并向社会传达那些价值。这个过程可能会包括是否戴一条头巾。

你的品牌代表什么含义？你的品牌代表旧式蛮干和做不完的活——公司的牛马？你的品牌代表创新——公司的“点子”人？你是那种从不迟到的人，还是那种最后一秒钟带着金点子冲进办公室的人？你是那种在压力重重之下还能说实话的人，还是那种在冲突各方之间的调停人？

我们每个人都是一个品牌，我们所做的每个决定都代表着品牌的含义。

你的名片，从形状、尺寸，到称号和字体的选择都传达着信息。狭长的名片显示你精通网络，喜欢从网络上下载免费软件制作名片。背面印有日文的名片表示你常去日本并尊重日本人的习惯。你如果参加会议的时候不带名片，这样的习惯也向别人传达着信息。

你的个人习惯传递着信息。汤姆 · 彼得斯一直习惯于写感谢信。像汤姆那么忙的人能花时间在会后为你手写一封感谢信，这能显示他是一个什么样的人。小手势能传递大信号。（例如，如果你正作为一个美国大型汽车制造商向国会请求紧急贷款援助以应对困难，乘着私人飞机飞往华盛顿就不是在传达合适的信息。）

你的网站传递着信息。网站的设计直截了当，让人对一个公司的文化一目了然。我曾花数小时解读律所、咨询公司及其他一些个人服务型公司的网站。常见的情况是网站上写的和那家公司实际上的做法相抵触——公司往往都没意识到这一点。关键不在于网站的外观，而在于网站如何欢迎访问者，结构如何，是否方便浏览？

你的办公室传递着信息——办公室内所有物品，包括办公家具。当我在《哈佛商业评论》以及《快公司》杂志工作的时候，一张圆桌是我的办公室的必备品。我希望会议的类型是大家围着圆桌商讨，而不是像董事会议那样，我坐在权力之位上。然而，并不只是你自己的办公室传递着信号，你所在的办公大楼也同样传递着信号。在联邦存款保险公司的时代之前，银行都是用大理石建造的，因为大理石传递着“安全”的信号。当斯蒂尔凯思建立起企业金字塔，在办公空间到处设置咖啡屋，这种举措传递给员工的信号是：“勇往直前！在咖啡屋放松一会儿——你就有可能在这样的氛围中想出好点子。”公司向员工表明愿意为他们提供富有创意的办公室，这跟公司为客户提供的设计主旨一样。

你的沟通方式传递着信息。有些人认为他们必须“谈生意”才能证明他们是在做生意。他们认为必须使用咨询业流行语和MBA用语才能显得他们已经掌握了密码。遗憾的是，那种用缩写词汇装点的谈话内容并不能证明他们的个人品牌充满着商业智慧；实际上却给人“你的品牌是不安全的”感觉。一个再好不过的策略是正确理解那些术语，用平常人能听懂的词语来表述它们。

如果你能用平易的语言谈生意，那么你的个人品牌会含有更多的价值。你外出时电子邮件的自动回复内容是什么？自动回复邮件的措辞传达着信息。你的语音信箱录音内容也是一样。我最喜欢的录音是我的儿子亚当用的："在我的录音后留下哔哔声吧。"他很有趣，很有创意，也有诵读困难——这些都表现在他的录音中。

当然，你的着装传递着信息，从你脚上的休闲鞋到头上的头巾，无不传递着关于你的信息。

所以，先弄清你的品牌是什么。然后记住你做的——和没做的——都在传递着你的品牌信息。

规则32 内容不是王，语境才是王

20世纪90年代的网络企业家有一句口头禅：“内容是王。”这在当时是有意义的——至少表明企业家对瞬息万变的形势有所领悟。人们认为建设网站和铺设管道一样。这种看法让人感到安慰，资讯科技支出和基础设施投资性质一样，一旦管道安装完毕，商业逻辑就不复存在，那些准备了更多东西在管道里流动的人将赚钱最多。换句话说就是“内容为王”。

我认为他们错了。

我认为“语境为王”。《哈佛商业评论》刊登的文章比其他普通商业杂志更有分量，原因在于语境。世界500强公司愿意花更多的钱向麦肯锡公司咨询，而不是选择一家不知名的、未经过测试的咨询公司，原因也在于语境。信息是一种商品，语境创造价值。

信息可以是免费的，但却不一定是中立的。那是诺曼 · 梅勒、吉米·布雷斯林和20世纪60年代的“新新闻主义”提供的一个教训。客观是惯例，而且是一个不合逻辑的惯例。新闻记者可以遵循一些原则：一个事实需要多少条证据，什么证据构成公开或非公开事实，如何证明一条消息与事实相符，为什么有必要核实当事各方的说法。但那只不过是客观性折射出的淡淡光芒而已，轻轻遮盖着影响新闻报道的内幕。保留什么内容，删除什么内容？最先报道什么，最后报道什么？你会使用什么形容词和副词来修饰组成报道的中立性的事实？新闻的要素是什么？

不仅新闻行业如此。所有行业都一样。

在《哈佛商业评论》一篇关于传奇人物沃尔特·里斯顿的报道中，里斯顿在他位于纽约的办公室里就内容和语境的区别为我作了简短的讲解。

“我每天都收到三种类型的信息，”里斯顿说，“事实、错误的事实和荒谬的谎言。我的工作是为这些信息归类。”

换句话说，他的工作是证明语境比内容更有价值。

但他还有更多的信息。在商业交往中，我们最看重的是值得信任的观点。那是里斯顿雇用高层管理人员的原因，也是最佳老板们想从创造价值的员工那里得到的东西：评估、解释、分析、综合、看法、判断——语境。

信息是廉价的，它是枯燥的，缺少特征、能量、目标、意义，或价值。

我们期待从别人那里了解的信息——以及我们应该做的力所能及的事情——是以令人信服的观点真实地看世界。

自己有主见以及有信心表达自己的观点是难能可贵的行为。其他的一切内容都能每时每刻在网上或其他地方看到——这毫无价值。

感言

没有人能比企业家和艺术家更懂语境。2007 年 9 月的 Waldzell 会议上，在其中一个关于遗产的意义的研讨会上，我看到伊莎贝拉·阿连德给大家带来了一个全新的语境。

我曾主持过一次早晨小组讨论会，参与者包括世界最伟大的宗教代表，都是些智人。

下午，伊莎贝拉神采奕奕地走上讲台。

“我认为遗产是一个极端强调父权的词语。”她说。房间里的每个人都凝神倾听。“51% 的人口是女性，而多数宗教领袖是男性。遗产的概念对于女性的意义不同于男性。我有一个 51% 的人口都曾有过的体验——无限、无条件的爱的体验。我所说的是分娩的时刻。如果全世界的女人都能在餐桌上谈论那个话题，那会成为我们最奇妙的遗产。”

这是一个艺术家的发言。在 15 分钟的发言里，她在遗产的传统讨论中加入了一个全新的强有力的语境。她说的是自己深入理解了的事情——她和我们分享了她的感受，也因此为我们提供了一个新语境。

语境的内涵在于我们每个人如何创造新价值。那么，如何养成善于学习和观察事物的习惯呢？

那些养成了观察和认识世界的习惯的人能悟出语境。那些建立起表达的信心和能力的人能悟出语境。那就是艺术家和企业家兴旺发达的原因：他们努力观察世界并通过新的产品或艺术品来表达自己所领悟的语境。与其他所有事物一样，语境来自实践。

你如果没有经常看电视新闻的习惯，无意中看到了一场口水仗，那不叫实践。他们不是在告诉你新闻，而是在告诉你他们对新闻的看法。你有权告诉他们你的看法。

如果你每天不多看几个网站登载的新闻及分析报道，并将你的深刻见解发表在网站上，你就没有培养自己的语境。你的任务就是要把他们的报道当成一块磨刀石，争取把你自己的分析能力磨得更加锋利。

如果你不剪辑一份或多份报纸——纸质或电子版本的——然后对那些剪辑资料进行收集整合，并形成你自己对事件的看法，那么你就还没培养出心智力量。练习的目的在于搜集零散的材料并将它们联系起来。

如果你不和公司、学校、教堂或运动场合里认识的朋友一同外出，激烈地争论书籍、主意、经济、下一次选举，或技术革新的轨道，你就永远也无法培育出具有说服力的观点。这需要实践。

几年以前，经济学家罗伯特 · 瑞克曾说过，我们注定要成为一个充满“符号分析师”

的国家，被称为“符号分析师”的这类人在观念之间玩转以寻找难题的新颖解决方案，他们以此为生。另一个词汇是“语境创造者”：这类人把零散资料联系起来，使它们更易理解，为事件提供深刻的见解，使零散资料产生意义，让人们获得新的世界观以及可行的解决方案。

创造语境的技巧、能力对于你和你的公司来说，都是宝贵的财富。一个有责任感的公民的首要任务是——思考并明白那些影响国家和世界的事件。在任何一家公司里，最好的工作莫过于——独立思考和提供深刻见解。

不管你知道多少原始事实，它们都只会在你安排的语境中产生价值。那就是语境比内容更重要的原因，而且一直都是如此，不管管道是否存在。

规则33 一切皆是表演

你可能会对这个规则感到有些吃惊，尽管我总是高唱真实之歌，并不时哼着“一切知识都始于自知之明”的和音。

这些都是真的，并不和表演节目的概念冲突。在政治、商业、艺术和演讲方面，甚至在杂志出版方面，你都要表演。

《快公司》杂志在表演，《哈佛商业评论》也是。《哈佛商业评论》的表演是“任何难懂的东西都是重要的”。而且，延伸开来，如果你的书柜上有一本《哈佛商业评论》，不管你是否看过，你就是一个重要人物。离开《哈佛商业评论》后，我开始创办《快公司》。我常说《哈佛商业评论》就像一块麸皮松饼：对你有好处，可难以下咽。《快公司》期望做一块蓝莓蛋糕。我们的表演将生动有趣、注重视觉效果和风趣性。我们的文章将符合现代化的快节奏，我们的语言将丰富多彩。我们想让读者在不知不觉中受到地道的商业教育，我们称之为

“寓教于乐”。

为使表演出色，我们参考了其他令我们仰慕的杂志。比如，我们把每期杂志都比做畅销摇滚专辑。和最佳专辑一样（比尔 · 泰勒想到的是布鲁斯 · 斯普林斯汀的精选辑，我想到的则是鲍勃 · 迪伦），每张专辑都需要拥有忠实的摇滚乐迷，需要一首情歌，一首排行榜金曲，一首忧伤的歌，一首慢歌，或许还需要一些个性化的反思。类似摇滚专辑的结构：杂志的封面是敲门砖，是一个好的开端；排行榜金曲好比我们的封面故事；情歌好比我们的深入报道；一段慢节奏的布鲁斯乐曲好比我们的商业或个人逆境的反思故事；而后，开朗、快节奏的曲子最终给读者留下一个好心情。一份杂志，就像一张专辑一样，是一系列小篇章的集合体，共同为观众奉献一次连贯性的演出。每个章节都有不同的节奏和速度，但是所有章节均来自一个单一、统一的角色。杂志有声。

杰出的歌手、演员、政治家都有出色的表演。那些认识到自己的领导角色的首席执行官知道他们每次出现在公众或员工面前都好比是站在显微镜下面——或在聚光灯下，映出的背影比生命都还要广阔。他们的每一个姿势都是表演的一部分。问题在于：你知道自己有节目要表演吗？你知道自己的节目是什么吗？

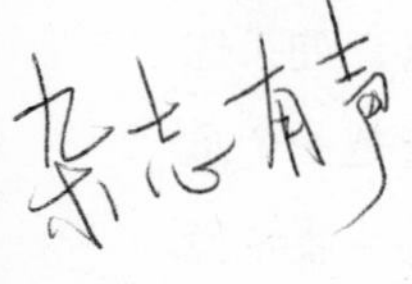

感言

《快公司》成了热门杂志，我和比尔开始被邀请参加商业类电视节目，我在那时总结出了关于表演节目的这个规则。进行一些“媒体训练”的主意似乎不错，这能为上电视作准备，即使我认为自己以前在政界的经历足以让我清楚该怎样回答——或不回答——某个棘手的问题。“媒体训练”包括，由训练有素的专业人士向我提问、对我的回答进行录音并给我播放我的录音。那时，我明白了我为什么需要表演节目——更确切地说，我表演的节目有多差劲儿。

我真的明白了我是怎么挺过来的。我满怀着真诚和谦卑。我认为自己经历的是伤脑筋的尴尬状态。远非如此，全是些我根本没预料到的事情。手势、肢体语言、轻度面部抽搐——我不觉得有趣！我看到自己在录像带上做一些几分钟前根本没想到过的那些动作。我看到后就可以校正那些动作。

我第二次认识到表演节目的重要性是在一个朋友向我倾诉他的经历的时候，他曾作为一名企业教练与一位声名狼藉的首席执行官接触过。这位首席执行官的手下不喜欢为他工作。他疏远了公司董事会，他的工作岌岌可危——这也是他聘用我朋友的原因，为他分析并给他提供建议。

我的朋友快速地觉察出，问题不在于那个首席执行官作了错误的决定。在私人办公室里，那位首席执行官感觉没什么不对劲儿。但在公开场合他会觉得不自在。他不知道，也看不到，但在公开场合他感觉非常不舒服，觉得浑身都不自在，也让他周围的人感觉不舒服。他似乎不信任自己，所以别人也不信任他。他拿起镜子，观看自己的表演——两场表演，一场在私底下，一场在公开场合——这有助于让他看清自己是怎样毁掉自己的事业，丧失办事效率的。

你如何一步步表演你的节目？你可以使用的道具有哪些？

首先是信念。如果人们认为你真诚地关心——你所做的工作，或你演讲的主题——他们就会更愿意和你一起进入你的表演角色。你连接着他们，他们也连接着你。那也是问答式会议通常比之前的长篇大论式的演讲更有活力的原因之一：一问一答把独白变成了对话。

专业是一个重要方面。不管你是在用幻灯片作销售报告还是用电吉他开摇滚音乐会，都是如此。如果你能对你选择的工具信手拈来，你就抓住了观众的心。

一致性、连贯性和体贴也必不可少。如果一个表演者不断变换节目内容，改变腔调和观点（除非是鲍勃·迪伦或巴伯罗·毕加索）。作为一个观众，我们想知道表演者是怎样一个人，他或她努力在表达什么，以及我们是否可以相信那个人有能力进行表演。那适合于所有表演者，包括商界领导者。

对于这一规则，有一点是必须注意的：你没有必要去做一个“假冒 24K 金”的人。你不需要去学习如何装扮成别人。恰恰相反，一个人能上演的最好节目就是他或她真实自我的放大版本。就好比拿一个聚光灯，放在跟前，用它为你自己照出一个更富光彩的影像，以使别人更清楚地看到你。它让你变得更醒目、更明亮，也更紧张。目的是使你对自己的技巧和公开形象感到轻松自如，这样，当你在一个更大的舞台上露面的时候就不会有恐惧感。不是另一个你，而是一个更大的你。

规则34 简单是潮流

我站在旧金山一家中式酒吧里，身旁是100多位精通网络的社会企业家。说是一个交流机会，可实际上更像是100多只蜂鸟在互相交换名片，以及为了他们“改变世界”的网络新应用作宣传。

喧闹声中，一些年轻朋友嚷嚷着一个新的迹象。

“你听说过正在推行的网页新浏览器吗？”她问，“那很适合社会企业家。”“有什么特别吗？”他问。

“它可以是你的默认浏览器，”她说，“浏览器打开的一切网页都和社会企业家有关。加上它的社交网络元素，所有功能都可以捆绑在一起。”

“我在想它会把我们的生活变得更简单还是更复杂，”他说，“它会帮助我们还是会阻碍我们？”

这就是问题！

听这两个年轻人讨论过去20年的中心矛盾就像在听iPod播放的音乐一样：科技已经冲破了解决方案的界限，成了一种负担。

很多人认为人力资源每天都被使用到极限。除了一再延长使用时间，变不出什么新花样来，其他的一切都在不断推陈出新。马歇尔·麦克鲁汉说过："我们塑造工具，然后工具再塑造我们。"我们的结论，是工具塑造我们的感觉并非总是愉快的。作为现今科技环境的创造者和消费者，我们在抵制着科技的3个诱惑。

诱惑1：过度使用科技。这就是我的两个朋友在酒吧里所谈论的。是的，创建一个社会企业家风格的浏览器是可行的，可以把所有时髦的应用程序都包括进去。然而问题不在于，"我们能做到吗？"而在于，"它会把我们的生活变得更简单还是更复杂？它会解决问题还是会产生问题？"为了科技而科技的做法通常会失败。那些相对来说只需要人进行简单操作的科技，如果搞得复杂烦琐，就根本没有必要，这种科技必败无疑。比如用烤箱烹饪食物的过程中，让烤箱跟你说话的科技是可以实现的，但那没有必要。你根本不需要一只这样的烤箱。

诱惑2：好东西越多越好。如果你想看到应用这个原则的实例，可以参考20世纪80年代发生在日本的产品多样化竞争。那件事情可以用一个词语来概括，那就是简单。学会如何创建产品无限多样化的生产流水线之后，日本厂家变得近乎疯狂了。索尼推出了250种不同的随身听系列产品；三洋推出了24种不同颜色的冰箱，交货时间为两个星期；松下推出了220种不同型号的电视机和62种型号的录像机。面对无穷尽的选择和快速的新产品发布，顾客反而不想买了：他们感觉累了。最终厂家也觉得累了，整个体系在其自身的疯狂竞争之中崩溃。

诱惑 3：顾客希望有所选择，所以我们必须为他们提供一些选择。看看我们能否做到。顾客真正希望作出的是有意义的选择，或至少是有那么一点意义的选择。我们希望选择能让我们的生活变得更轻松、更简便和更平静。记住规则 2：我们想要有用的东西、可以变得更加有用的东西，我们想要新颖的东西。我们想买一辆麻烦少、操作更便捷的车子。我们想要能自动安装的软件。我们想要一部随时随地能用的手机。我们想要更少的按钮，而不是更多。我们想要便利的服务——如更换机油、检查电缆箱或医疗服务。

是的，选择是好的。但我们需要选择什么是我们真正需要的东西。

感言

掌握简单这门艺术可以让你具备一个宝贵的优势。它意味着你抵挡住了塞壬的纷乱复杂的歌曲的诱惑，而那常常伪装成精致和博学。相反，你已经通过努力找到了你自己的思想要点。以下是几件需要注意的事情：

1. 简单是努力而来的。简单之所以看起来简单是因为已经有人通过努力把复杂性都排除了。对事情不管不顾，任其纷繁复杂，这样做很简单。简单需要长时间集中精力。我是从我的妻子那里学到这个道理的，那时，她在斯凯迪莫—欧文斯—梅立尔公司做建筑师和策划师，她往往不停地一遍又一遍地修改设计规格，花更多的时间做一些选择方案，并组合和精练那些选择方案——尽管还没有确定某一个解决方案。在确定最终的设计方案之前，她想知道客户最喜欢哪个方案。什么事情都不是在做一次的时候就很简单，第二次也不一定是的。不断地重复劳动和反复修改才能揭示复杂性之中包含的简单性。

2. 多一个就是太多。作为一个编辑，没有比过问杂志的设计更高兴的事情了。我在《快公司》是支持帕特里克·米歇尔的，喜欢看他设计杂志的封面。每当他完成封面设计，我们都会进行同样的讨论。

“能再加点什么吗？”我问他，“我觉得少了点东西。”

“你觉得少了什么？”帕特里克反问道。

“不知道，”我说，“可能是另外一种颜色吧？再稍微润色一下？”

帕特里克会说，“当你在设计一个页面的时候，你还想着要加一些东西吗？”

“是的。”我说。

“不要那样。”

他的看法一直没变：即使有疑问，也不要去想它。越少越好，太多是累赘。

3. 自己试试看。多少就够了？什么程度是过于复杂？最后，你不得不进行自我评判。你试用自己的新软件的情况如何？对于新型杂货店自助收银服务，你的感觉如何？拨打800热线电话会出现什么情况？你心中的那种感觉叫做忧虑。你头脑中的“嗡嗡”声叫做困惑。如果你有那些感觉，你的顾客也肯定会有。简单的目标就是消除顾客体验过程中产生的所有不快情绪。

4. 牢记另一种可能：什么都不做。20世纪70年代盛行一时的部分环境影响报告程序要求每个项目都考虑一种什么都不做的情况：如果你根本就没做某个项目会怎样？在你考虑简单性的时候，很有必要回顾一个最基本的选项，那就是什么都不做的可能，试看一下，这个选项会如何改变你的设计思维或项目的执行方式。

5. 复杂是一个机会。世界是一个错综复杂的地方——在未来还有可能加剧。我们所有人都在商业和社会问题方面面临越来越多的变化因素。那是肯定的。问题是，你怎样在这错综复杂的环境中生存，你怎样为那些操劳过度、压力过重的人提供一个更简单的方案？只要有复杂性存在，就有机会存在。记住我的年轻朋友在酒吧里的对话：“它会使我的生活变得更简单吗？”在本来已经复杂的局面里再把你的复杂方案叠加进去是毫无意义的。没有意义，没有益处，也没有未来。

规则35 忠诚是一条双行道

20 世纪 50 年代末至 60 年代初，让圣路易斯引以为豪的不止是棒球。那时正是圣路易斯老鹰队和波士顿凯尔特人队之间角逐的巅峰时期。我所有的朋友都是老鹰队的铁杆球迷，但我和兄弟觉得凯尔特人队还不错。我们来到旧场地，买票价便宜的看台最高处的座位，观看老鹰队的佩蒂特、哈根、马丁、罗维拉坦、麦克马洪对抗凯尔特人队的拉塞尔、琼斯男孩、海恩索恩、拉姆齐以及库西。

比赛结束，凯尔特人队获胜，我们的目光从场上队员的身上转到了场下凯尔特人队的长椅上。这场赛事圆满结束了，凯尔特人队的著名教练，红衣主教奥尔巴赫穿着一件皱巴巴的衣服，这使他看起来更像威利 · 罗曼而不是世界上最伟大的篮球教练，他密切注视着比赛直到结束。那时，也只有在那个时候他才会做出他的招牌动作：抽一支雪茄。他点燃雪茄的时候就意味着比赛已经结束。那是满足的信号，据我猜测，那也是他坚持到最后的一种方式，特别是在比赛的途中。我觉得那就是酷。

这也是我作出此次采访计划的原因。30年之后我掌管《哈佛商业评论》，为了探讨红衣主教奥尔巴赫的经营哲学，我决定采访他。那时我已经采访过国家元首。为什么不采访一下那个率领球队获得16届NBA总冠军的人呢？他拥有多个光辉的头衔：教练，以及历史上最有名的体育俱乐部的总经理兼总裁。我为什么不借这个机会满足一下我童年时代的愿望呢？

在我们约定的那天，我来到他的办公室。没有任何排场，他的助手径直把我带进他的办公室。他坐在桌子后面。他的办公室朴实无华，显得有些凌乱、局促。这还是在1987年，体育还没有成为一个利润丰厚的产业。没有奢华的排场、私人飞机、名贵套装。这是红衣主教奥尔巴赫的篮球品牌，而不是马克 · 库班的。

他等我设置好录音机，随后递给我一支雪茄。一支红衣主教奥尔巴赫式的雪茄！那种他用来庆祝胜利的雪茄！可我——我！——说不用了，谢谢。不是因为我不想抽雪茄，也不是因为我不抽雪茄。我不想让他知道我是一个十足的追星族。我不大好意思抽那支雪茄——这就是我错过抽一支红衣主教奥尔巴赫式的雪茄的经过，要不然那可以收进我的运动纪念品集锦。

即使失去抽那支雪茄的机会，采访过程本身也深深铭刻在我的记忆中。我特别记得他清楚而缓慢的讲话方式。他吐字的方式稍显含混，有点像糖浆，我想这和他爱抽雪茄有关系。实际上，他说话就像是在吐字，就像一个吸烟的老兵吐烟圈。同时也给人感觉他口中的每个字都经过了深思熟虑。红衣主教奥尔巴赫丝毫都不油腔滑调。他与如今那些圆滑的教练们截然不同，没有他们那样的伪心理词汇。他行事低调，与世无争。可当他坐在我的对面，我觉得他很魁梧，仿佛北美灰熊，他的话语掠过办公桌，就像旧式的拳击手掠过拳击场一样。没有威胁的感觉，但铿锵有力、直截了当。

那次采访很成功。根据《哈佛商业评论》的传统，当那篇采访报道出现在 1987 年 3、4 月份的双月刊上。麦肯锡公司发现这篇报道非常有意思，就为公司的所有员工订购了那期杂志的重印本。红衣主教说了什么？激起了那么大的反响。

不要根据得分奖励队员——要根据他们对球队的贡献来奖励他们。“我不迷信得分，”红衣主教说，“那不能衡量队员的忠心、他在紧要关头的表现，以及他牺牲进攻或坚强防守的意愿。”

要在诚实的基础上跟队员建立一种特别的联系。“队员不会欺骗我，因为我不会欺骗他们，”他说，“他们不会假装紧逼防守，就是某个队员实际没怎么用力却装装样子。”

千万不要通过恐吓来调动队员的积极性，而只能通过荣誉感。“我们希望我们的队员喜爱篮球并以篮球为乐趣，而不是害怕。”他说，“任何行业都是如此。如果你的员工带着恐惧感工作，你不会从他们那里得到任何创造力。”

对于专业运动员来说不确定因素是一大问题——而对教练来说也是个莫大的机会。“你看吧，在体育界有太多难以预料的事情，” 红衣主教说，“有太多的不确定因素。所以如果队员感觉管理层是诚实可信的，我和管理层的其他人说话是算话的，他们的心里就会有归属感。有了归属感，他们就不想离开球队。不想离开，他们就会在球场上奋力拼搏，这样才能留下来。”

他最深刻的管理秘诀是：忠诚是一条双行道。我想请他讲凯尔特人队的诀窍，他说：“信任是我们团队的一条重要规则。我真的相信忠诚是一条双行道。然而，在很多公司里，经理要求员工忠诚但自己却不情愿对员工忠诚。我们建立了一个关心队员的团队。不过，那不意味着不能进行一些交易。在这方面，必须要有一些灵活性，如果你认为作一些交易能改进团队的素质，那么就这样做吧。但是这些年来我们作的交易少之又少。任何一个加入我们团队超过五六年的队员就将在我们团队结束他的球员生涯。当一个队员即将结束职业生涯的时候，我们不会说，'我们付了你薪水，你也打了球。再见。'"

那就是为什么红衣主教的签名至今仍然留存在凯尔特人队的训练基地木地板上——因为红衣主教把他的教诲留给了整个俱乐部。

感言

对于一个在NBA生涯中赢了938场比赛的偶像教练所运用的管理智慧，我们很难超越。

所以，我只是着重强调他对于忠诚的诠释：他是对的。很多公司经理的做法让人觉得他们有权从员工那里得到忠诚，但却不认为他们也同样有责任对员工显示忠诚。

想一想，20世纪90年代丹·平克发起的“自由工作者国度”运动就是对80年代迈克尔·汉默引领的重组潮流的一个完全合理的回应。事实证明，员工实际上不愚蠢。当员工看到他们的老板花大笔的钱请顾问对公司进行重组，让他们失业，他们总结出一个合理的结论：如果公司对我不忠诚，我为什么要对公司忠诚？有一技之长的人宣布做自由职业者，在知识经济时代，他们可以和新时代的体育界明星运动员一样，与雇主进行谈判：他们将为出价最高的雇主打球，直到有出价更高的雇主出现。

为什么？

对于员工会通过某种方式占公司的便宜，公司是否深感烦恼？所以决定先发制人，让员工明白谁是老板？

如果不对员工实行严厉的制度，经理们是否会害怕同僚或老板认为他们软弱？

这样做的目的是为了短期效益吗？这是由于那些经理不得不以业绩说话所以就采取了和奥尔巴赫恰好相反的方法吗？而奥尔巴赫的方法是绝不迷信得分，绝不迷信数字。

不管是什么原因，美国公司没能把忠诚建设成一条双行道，这为市场带来了机会，奥尔巴赫和凯尔特人队则抓住了这样的机会。奥尔巴赫所做的就是把凯尔特人队定位为反重组的体育俱乐部组织，是队员值得信赖的组织，队员可以在这里获得尊重、公平和尊严。为了成为这个团队中受到尊重和重视的一员，你并不需要得很多比分。你必须具有团队精神并愿意为球队作出贡献。毕竟是奥尔巴赫发明了角色球员和“第六人”的概念。“第六人”即指虽然有赢球机会可是却愿意作为一个替补球员上场，在需要的时候上场给对手一个无力还击的猛攻。

奥尔巴赫讲的最后一个故事是他与比尔·沃尔顿的交易。沃尔顿曾就加入凯尔特人队的事情跟奥尔巴赫联系。但当沃尔顿真正加入后，他变得更加烦恼，因为他没再得分。奥尔巴赫让他放松心情，告诉他球队不会以他的得分来衡量他对球队的贡献，而是会综合考虑他为球队作的贡献，不管是以哪种方式。

谁不想有那样的教练？谁不想加入那样的团队？

更确切地说，谁不想做那样的经理？

规则36 寄言创业家：情感流比现金流更重要

如果你在企业家常用词汇表中查找“现金流”这个术语，只能发现一个普遍看法。

“现金为王！”

“现金流是企业的命脉。”

“现金是维持企业经营的必备燃料。”

明白了吗？“王”、“命脉”、“必备燃料”。或许你更喜欢用“贵族”、“良药”或“能源”来形容，但意思都一样：在企业经营上，没有什么比现金更重要。

我自己为词汇表添加的词条与此不同：初创公司面临的挑战不是缺少现金——而是情感。为什么？请看如下分解。

从计划到真正创业，我和比尔·泰勒花了三年多时间。两个人用了三年多的时间坐在一起谈论如何创立杂志社。两个人都是A型血，非常喜欢竞争，情绪容易波动，对人对己都有强烈的批判精神。三年多时间里，只要有人乐于给我们提建议，我们都善于接受；只要有人愿意跟我们见面，愿意帮助我们，我们也欣然接受。三年多时间里，我们不停地为还未创立的杂志构思文章，在还没出一期杂志的情况下，不停地设计直投邮件测试发送给潜在的征订者。

三年多时间里，我们的情绪时而起伏波动。

我和比尔期待着与支持者见面会谈并取得成果。可是不经意间我们又会想到终点线就隐约出现在前方。会谈毫无结果，我们的精神状态又陷入沮丧的深渊。

出乎我的预料，我接到了伦敦《经济学人》主管的电话。一位哈佛商业学院的教授，也是我的朋友，为我们的商业计划美言过几句，所以一个有着复姓的英国绅士就给我打来电话询问详细情况。我非常兴奋，以至于不假思索就说出了我和比尔是多么期待与他达成协议——我都能够在话筒中听到自己的喘气声。挂了电话以后，我恨不得钻到地缝里去。

我感到极度痛苦——为达到情感的平衡状态，我不断抗争。

我们在寻求资金支持，可是我们并不是为了资金而奋斗（尽管布鲁斯 · 斯普林斯汀的温馨提示是“一切都可以归结为钱，只是迟早的问题”）。这取决于理智。每天前途未卜，结果不得而知。每个决策都至关重要。每一个步骤可能致命，方向对了，就渐渐走向成功，方向错了，就会被遗忘。那样的情感压力意味着我们每天都得经受别人千篇一律的评头论足，和占卜者评论祭祀动物的内脏差不多。

这也使得我和比尔成了一对理想的搭档。我们在思想和情感周期上都能互补：我们是一对正弦曲线和余弦曲线，是互补的搭档。我们的情绪高峰和低谷恰好相抵。总体而言，我们的心情是平静的、稳定的，能够面对每一天，不对失败的压力低头。

我们明白保持理智是第一位的，然后才是寻找资金。毕竟，如果一个人得到了世界却失去了理智，这又有什么意义呢？

感言

我是在沙漠旅行的时候开始喜欢上伍迪·艾伦的一句话的："比起历史上的任何一个时刻，此时人类面临抉择的十字路口，一条通往绝望的深渊，而另一条则通往毁灭，让我们一起祈祷，希望我们有作出正确决定的智慧。"我觉得这句话充满了企业家式的幽默。

然而，创业者精神也同样包含残酷的现实和温情的启迪。对此，我有一些感悟。

创业者精神是一种心态。它更多的是一种生存和思考的方式，而不是一种创造经济利益的方式。那就是为什么对准企业家来说，必须在作好资金准备的同时，也要作好心理方面的准备。如果你无法控制不确定、不明朗以及疑惑所带来的压力，管理现金流的能力就不会起作用。

记住，没有什么比创造新事物更难。你可以这样想，你的创意现在还不存在——世人也不缺少它。现在你将竭尽全力让世人相信：他们非常需要目前不缺的事物。无中生有是一项令人惊奇的表演艺术，那是勇敢者的游戏。你必须相信自己的创意，但首先你必须相信自己。我和比尔整天在一起练习会议上发言的台词，这有助于我们为创办杂志作准备——因为我们在锻炼对自己的信心。

所以，如果创业者精神不是指那种找个车库开创大事业，而是指火炉边的酷刑审判，那么在你的人生旅途中必须注意哪些事情?

1.“团队，团队，团队。”那是我在问克莱纳·珀金斯的约翰·多尔如何在初创公司的投资问题上作决定的时候所得到的回答。不要看财务报表——没有人信那些数字。要看团队中有些什么样的人。我知道如果没有比尔·泰勒，我很难一直保持理智。他让很多事情变得可能，他为《快公司》杂志的创立尽心竭力。除了天才的智慧，他还献出了全部精力。所以我给志向远大的企业家的第一个建议就是找到你的比尔·泰勒——最佳搭档。尽管创业的旅程是孤单的，但是一旦找到合适的伙伴，你们彼此都可以感觉有所依靠。

2. 没有什么事情严肃得你不可以笑出声来——特别是笑自己。我和比尔现在仍然会笑我给硅谷传奇式的投资家阿尔特·罗克打电话时的场景，我通过旧金山黄页查到了阿尔特·罗克的电话号码。电话打通后，我被告之阿尔特·罗克在坐牢。我感到震惊，并告诉了比尔这件事；他英明地认为那不可能是真的，建议我再打一次电话。结果证明我弄错了，那是一个美术馆的号码——阿尔特·罗克——是那里的老板，由于某些与艺术有关的欺诈而入狱。阿尔特·罗克确实是在坐牢，但却不是我们要找的那个阿尔特·罗克。到《快公司》杂志正式创立为止，我们有过一系列的趣味时刻，证明在企业家精神方面，会笑的人走到了最后。

3. 多听很响的音乐——它会不停地为你打气。如果觉得难以在音乐声中工作，就应努力在没有音乐的情况下保持高昂的工作热情。我们把这个习惯当做我们初创公司的文化，当《快公司》杂志创立的时候，我们的美术总监帕特里克·米歇尔制作了年度自制唱片专集："为了杂志"。非常酷。

4. 创业者和军队一样，要吃东西才行。在你在努力工作、尽力将自己的愿望变成现实的过程中，每天留一个完全由自己支配的时间段，这样做非常有意义。这个时间段可以安排在"午餐"时间。在一个如此复杂的世界里，午餐可以是简单的。无论我们在《快公司》的试刊期间把办公室移到哪里——我们准备了好几个备选的临时办公室，哪怕最终只能选择用一个——我们还是确定了固定的午餐地点。终于，我们成了"正规军"，我们的订单稳定了，工作程序固定了，我们在运转着的宇宙中有了自己的一席之地，并以此为基础幸福过每一天。

我要说的就是那么多。为了企业家的心理健康，我的处方是：一个好搭档、多笑有益、很响的音乐、爽心美食。简单，是吗？所以现在就开始吧！但要保持理智。

规则37 资金来源不尽相同

你写好商业计划并不断修改。你为自己的观念做好一只密封的商务箱。你尽量减少风险：战略风险、竞争风险、技术风险、人力风险。

支票、支票、支票、支票。怎样才能得到支票？

现在是你开始筹集第一轮资金的时候。

你忽然感到筹资前景不容乐观。从何开始？首选目标是谁？家人和朋友？风险投资家——那些你的朋友认为是“风险投资家”的人吗？

我们是这样筹集第一轮《快公司》测试版资金的。

我们最初就下决心要把融资做好。就是要懂得一个简单的道理：钱不是生而平等的。

钱都是一样花，但钱的来源却是大相径庭的。有些资金明智，有些资金愚钝；有些资金没有附加条件，有些有附加条件；有些资金有耐心，有些资金让你疲惫不堪。有些资金来自那些让你感觉自豪的人，有些资金来自那些你宁愿不认识的人。有些资金富有战略意义，可以带来一系列的机会，而有些资金仅仅是资金，不意味着什么其他的机会。你必须了解不同种类的资金。

基于这样的认识，我们起草了法律文件。（初创公司容易犯的最大错误就是在请好律师上省钱——这是一个本能做法，因为还没筹到什么钱。但是当你的商业计划开始运行的时候，你在好律师上花的钱会为你带来可观的收益。每当有企业家向我征求意见的时候，我总是跟他们这样说：打电话给欧文。就是波士顿的欧文 · 海勒。）

接着，我们设定第一轮投资者的条件。我们想要合格的投资者，那些能够承担投资损失的人，如果杂志运行不佳的话。我们还事先告诉他们，在投资风险上，杂志社与餐馆和百老汇歌舞剧是一样的。

我们想要的不仅是具有金融资本的人，而且是具有信誉资本的人——那些有助于我们提高声誉的人。

我们希望投资者能认同我们杂志的核心理念，它倡导创新和新思维，我们想找到能够代表这些特征的人。那意味着我们需要前沿企业家和风险投资家，这要通过商学院和管理顾问公司的介绍。

我们理想的投资者是那些有自己的社交圈和颇具影响力的朋友的人。我们想利用他们的人际关系。对于投资人投资创立的杂志，谁会比投资人的朋友更适合做它的订阅者呢？

《快公司》将成为一份世界性的杂志，所以我们希望我们的投资群体也包括美国以外的人。

我们还需要能为我们出谋划策的人。此举不在于让他们来制定编辑方针。但如果是思想领袖的话，为什么不把他们的思想用在我们的杂志上呢？

最后，我们想要理解我们事业的人。他们必须乐于投资于一家有趣但充满风险的企业。悲悯者不必申请投资。

那就是我们的第一轮魔方游戏。我们制定标准；我们的任务是找到合适的人群投入适当的金额，这好比把魔方上的一个个小块转到正确的位置。

我们的目标是450 000美元。我们花了9个月时间达到这个目标，而且我们不仅筹集到了适当金额的资金，也找到了合适的投资者。我们的第一轮投资者给了我们一切初创公司需要的东西——而且在随后的日子中，他们的声誉也对杂志的成功创办帮助不小。让我向魔方上的《快公司》杂志投资者致谢：约翰 · 艾伯乐、查尔斯 · 艾姆斯、托马斯 · 阿克斯沃西、约翰 · 多尔、马克 · 福勒、马丁 · 戈德法布、服部准一、哈里 · 海博梅尔、里吉斯 · 麦肯纳、彼得 · 尼古拉斯、安德罗 · 皮尔森、汤姆 · 彼得斯、迈克尔 · 波特、尼尔 · 雷蒙德、乔治 · 斯托克以及竹内弘高。

最后再强调一次，关于创办企业，找到合适的人投资比找到资金更重要。

感言

如果不进行自我控制，寻找资金这件事情足以让你发狂。所以，你要注意控制自己的情绪。

可以这样想，你寻找的不仅是资金。你在为整体创业计划的下一个阶段作准备，为此，你需要一个设计规格来决定什么样的资金是你想要的。从设计规格中，你可以考虑谁最适合作你的投资者，所以，先思考一下如何才能设计出与你的创业观念相匹配的规格。

你需要多少资金，每个投资人的合理出资金额是多少？(这里有一个假设可以对你的计划进行测试。如果某个投资人愿意包揽你所有的资金需求，那样是否有助于你成功？)

假设你将进行筹资。哪些人会对你的创业最有帮助？你的投资群体中是否必须有某些职业或行业的人参与？

还有什么其他标准有助于你的创业计划？年龄、性别、种族、国籍、宗教以及其他身份？让我们回到竞选公职的比喻：谁的支持能助你创业成功？当你走到创业的下一阶段，你想对支持者提些什么要求？

在你回答了那些问题之后，你将会构思出规格，而那些规格也会帮你拟出投资者的名单。

现在艰难时刻到了：找缺点。下面是一些筹资规则。

如果是你自己的项目，要由你提出要求。把筹资这件事委托给他人是懦夫的做法。记住，你的投资者不是在投资你的观念——而是在为你投资。所以你必须是那个征集资金的人。

为了征集资金，去拜访他们，最好是在他们的办公室，因为这是工作，是严肃的事情。为他们准备一份商业计划，如果你没有事先发给他们的话。如果你足够信任他们，向他们征集资金，也可以放心地把你的商业计划给他们看。(尽管为了自我保护你还带着一份保密协议去拜访他们——这没有什么错，这也表明你是认真的。)

反复演练你的投资介绍。尽量保持简短、清楚和直接。最重要的是要提出投资邀请。要明确地提出。在资金方面，最糟糕的情况是虽然有重大问题但没有胆量提出来："我正在为我的公司寻找投资人，我希望你能加入我们的投资群体。我正在寻求（把你需要的金额写在这里)。我能邀请你投资吗？"说出来吧，如果你不提出来，不要指望投资人会帮你提。

如果你得到的是否定的回答，尽量接受这个现实吧。(也作为一个问题。) 当然，你不必装轻松。你不必说，"如果你们不能投资，我完全理解。"但如果他们不能，那就是不能。你仍然要感谢他们。

如果他们能投资，你要事先作好准

备。你要准备好文件；如果你能拿着他们的支票回家，那就拿着支票回家（记住，钱没到手前一切都没有定论——请参见规则9）。如果他们确实同意了，那么，就像里克在《卡萨布兰卡》中说的，这是一段美好友谊的开始。现在，你手里有了支票，就要负责经营你和投资人之间的关系了。你应该定期为投资人提供最新信息和进展报告。不是作为一种义务，而是一种商业关系。你的第一轮投资人是你的创业计划最终得以实现的助推器。因为他们之于你，不仅是资金，而你之于他们，不仅是一项投资。

这不仅是创业的正确方式，也是成功创业的方式。

规则38 干大事要从小事做起

我坐在KaosPilots瑞典分校的万能会议空间里。KaosPilots号称是“最适合这个世界的学校”。椅子比平时放得要多。里面一圈椅子是为学生准备的，外面还有一圈椅子，是为朋友、家人和支持者准备的。今天是一个特别的日子。诺贝尔奖获得者穆罕默德 · 尤努斯将来校访问。这里的年轻学生没有选择瑞典的某个公立学校，而是自掏腰包上了KaosPilots，因为他们想学习改革社会的技能。谁会是比穆罕默德 · 尤努斯更理想的学习对象呢？

尤努斯不善言谈。他安静地坐在那里并邀请学生提问，身后是印有KaosPilots标志的校旗。他非常质朴、诚实、务实、可信，仅在几个尴尬的开篇问题之后，学生们就渐渐没有了敬畏的心理，忘记了这个穿着招牌式孟加拉背心的男人的身份是乡村银行的创始人和诺贝尔奖得主。

尤努斯沿着会场走了一圈，鼓励每个学生都提问题。最后，有个学生提出了一个很多人都在思考的问题。

“有太多的事情让我担忧了，有太多的问题需要解决，”她说，“我不知道从何问起。全球变暖、贫困、艾滋病。你觉得我应该从哪个问题开始呢？”

这是真心想改变世界的一代人所提出的问题。但在一个需要众多变革的世界中，最大的问题在于行动的开始。

尤努斯的回答简洁、直接而实在。

“从你身边任何正确的事情入手，”他建议，“从你力所能及的事情入手，我就是这样开始的。一个女人为了从高利贷者那里解脱出来，她需要一些钱。我就是从这里开始的。”

他花了几分钟时间来讲述乡村银行来源于平民百姓的过程。孟加拉刚获独立，一场饥荒来袭。一天早上，在约布拉村，尤努斯遇到了苏菲亚 · 贝格姆，一个贫穷的女人，她正坐在泥地院子里编织小竹凳。尤努斯问她为什么那么辛勤地干活却仍然生活清贫。原因是，她只能向高利贷者借钱买竹子来编织家庭用品，同时，这个放贷人也定价格收购她所有的编织产品。她实际上就是一个经济奴隶。经过一个星期的调查，尤努斯得知村里还有 42 个人处于和她同样的情况。他们欠放贷人的钱合计起来不到 27 美元——这也许是个小数目，但他们就是无力承担。尤努斯去了一家当地的银行，问银行是否能把那些家庭从高利贷中解救出来。银行说不能为那些人提供贷款——因为他们穷！最后，他自己掏出 27 美元，把 42 个家庭从高利贷中解救出来。这是为乡村银行的诞生而迈出的第一步。

我们都熟悉这个故事，但尤努斯的亲口讲述非常清楚地表明：穆罕默德 · 尤努斯不是某天早上在家中起床后才为自己制定目标，想消除孟加拉的贫困或把世界各地成千上万的人从贫困中解救出来。他不是以这样的方式开始他的理想的。他没有想过要创办一家银行或开创一场社会运动。当然，他也没有为获得诺贝尔奖而进行计划博弈。他在村子里看见一个需要帮助的女人，于是对自己说，“我不能不帮助她。”

行动开始了，换句话说，就像是一个培养皿里的溶液，和其他很多改变世界的社会工程一样。这为制定行之有效的解决方案提供了一个具有启迪意义的模式，对营利和非营利组织的企业家都同等适合。

从小事开始。做你力所能及的事情，从那些你深深关切的、觉得不能不做的事情开始。集中精力，从实际出发，以现实生活为基础。相信你的眼睛和直觉：以你力所能及的方式做需要做的事情，不管专家是否赞成。实践高于理论，结果高于一般认识。

从小事开始。如果这有用，就坚持下去。如果没有用，就做点别的事情，直到你发现某些有用的事情。从小事开始，从你身边的事情开始，从你深刻关注的事情开始。但要像穆罕默德 · 尤努斯对 KaosPilots 的学生所说的那样，要开始行动。

感言

"要么变大，要么走人。"对于由风险投资支撑的网络初创公司而言，那是一般认识。

现今还有一种模式在逐渐兴起，网络将这种模式变得更强劲、更迅速，而且在某种意义上网络也催生了这种模式。可以把这种模式看成是穆罕默德 · 尤努斯式的变革。

它从小实验开始，实验者不是专家——这也可能正是其核心优势所在。他们的观点与专家不一样：比如，你不可以借钱给穷人。他们不知道在创业前需要周密的商业计划，他们不知道越大越好的道理，但却知道他们的决定将产生很大的效果。

这是一个以尤努斯为象征的模式，无论何时何地，只要有他在，这个模式都能得以传播。有一次，他在斯坦福大学演讲，杰西卡 · 杰克利坐在观众席中。她听到尤努斯提到用小额信贷来改变那些虽然贫穷但具有企业家才能的人的生活。那次演讲就是开始。

2004 年，杰西卡和丈夫马特刚结婚几个月，她就为了村庄创业基金项目飞往东非，采访那些获得 100 美元到 150 美元贷款得以开始自己的生意的当地人。马特帮助她录制了一些采访实况。他们的所见所闻使他们深信，即使是最小金额的贷款也能给非洲的穷人带来莫大的机会。

他们回到旧金山以后就开始工作了，他们在想，怎样才能在非洲农村那些需要帮助的人和那些希望帮忙的人之间建立小额信贷的桥梁。他们与专家讨论了一年，但结果并不尽如人意，他们觉得最重要的事情就是要开始行动。2005 年 3 月，杰西卡和马特建立了他们的试行网站。他们从 35 人那里筹得 3 500 美元，并把这些钱贷给了 7 个乌干达创业者，这是一个尤努斯式的开始。6 个月以后，每笔贷款都得到了偿还。

2005 年 10 月，杰西卡和马特宣布成立世界上首个朋友对朋友的小额借贷网站：Kiva. org。在成立的第一年中，Kiva. org 从 5 400 个人那里筹集了 430 000 美元，先后为 12 个国家的 750 人提供了贷款。两年后，Kiva. org 的筹资已经增长到了 39 536 810 美元，贷款次数为 55 935 次，借款人达到 329 406 人。77% 的贷款都给予了女性创业者，贷款偿还率为 98.45%。

“我们虽然对 Kiva 抱有很大的梦想，但在启动这个项目上是务实的，” 杰西卡在谈到创立 Kiva. org 的时候这样说，“我们知道必须从具体可行的事情开始。实际上，我认为那是开始行动的唯一方式，特点是周期短，项目具体、单一。我们现在仍然是一个小团队，所以我们可以做到操作灵活、敏捷、新颖。有时，在解决世界上的不公平现象方面，很多针对具体情况量身打造的小型解决方案是合适的。”

我可以给你讲述卡梅隆 · 辛克莱和他的人本建筑项目，或萨莎 · 钱诺夫和“马潘多国际”(Mapendo International)，或其他任何一个非营利组织的故事，美国每天有150个非营利组织注册成立，这是因为年轻人把他们的精力从努力赚钱转移到了竭力进行社会变革上来。

对于历来的“要么变大，要么走人”，换种方式，从小开始，坚持不懈可以吗?

规则39 娱乐是成功的法宝

让我们回顾一下过去的工作是什么样子的。

先来看看 1934 年，在美国历史最悠久的私人银行，布朗兄弟哈里曼（BBH）的办公室。如下的备忘录是为公司的年轻男职员准备的。

“为了所有人的利益以及部门的整体面貌，请仔细注意以下事项：

1．部门男职员不得在办公室与女职员调情，应该随时注意自己的言行，要像绅士一般。
2．在早上 9 点前和下午 3 点 30 分以后，职员可以吸烟。
3．部门职员不得进入其他部门的办公室，除非因工作原因。（请待在自己的位置上做自己的工作。）
4．各自的办公桌以及整个部门都应该随时保持整洁。”

然后我们来到 1940 年的底特律。约翰 · 盖洛是福特汽车公司里的一名流水线工人，由于“在大笑时被逮了个正着”而被解雇。他似乎活该受到这样的处罚：他已经因“与其他同事一起发笑”而被警告过一次了。在福特的流水线上，不允许工人们哼唱、吹口哨，或与其他工人说话，甚至在午餐时间也不能这样做。亨利 · 福特的人生观是，“我们应该在工作的时间工作，在休息的时候玩耍。把两者混为一谈是没有用的。”

现在我们来到 1956 年。小威廉 · H · 怀特为写《组织人》这本书正采访一些首席执行官。为了找到理想的初级主管以及避免找到不称职的人，美国大公司依赖于标准化的测试。

当面试官问你字词联想的题目或询问你的世界观，尽量给出最常规、最普通的答案。

如今，成功的商业意味着好玩的工作和真正的娱乐。让我们开始丹 · 平克的《全新思维》之旅，这本书讲述了我们每个人应该怎样在一个右脑经济时代用不同的思维方式对待工作。丹引用了西南航空公司的使命宣言：“在任何事情上，人们都很难成功，除非觉得做一件事情有趣。”这与亨利 · 福特的人生观有直接的冲突。除了西南航空，丹说，50 多家欧洲公司教他们的员工怎样“认真玩”，这是一个用来开启创造力的方法。

安迪 · 斯蒂芬诺维奇名为“玩”的公司就是倡导“认真玩”。在安迪看来，战略性玩耍是“一个过程和一种心态。是一个寻找创意而不是解决方案的过程，重在可能性而不是现实性。是一个忘掉已有商业知识的过程。”

如果你想看看什么是《组织人》一书所描述内容的对立面，那就是爱维 · 罗斯的顺从测试面试方法。她是 Gap 公司的首席营销员，也是国家玩耍研究所委员会的成员之一（确实有这么一个研究所存在)。爱维有她自己的面试题：当她面试求职者的时候，她使用“相面”的方法，这是中国古代的一种相貌解读方法。一旦有人加入她的团队，爱维的职责就是要开启他们的创造力——“那意味着为他们创造一个鼓励信任和自由的环境。”她说。

一位佛教学者来教她的团队如何才能富有生命力。一个理论家为她的团队分析了振动频率并为他们制作了一张与他们的团队理念相符的音频 CD。当遇到营销难题的时候，爱维相信自己所受到的艺术教育——她的工作遍及 12 家博物馆，这能让她深入看到问题的核心和本质。比如，她曾在美泰公司工作，公司需要一个有趣的玩具创意。但是，如果不愿深入挖掘有趣的事情，你就无法产生突破，就无法设计出一个有趣的玩具。爱维从“什么是笑声”这个问题入手。为了找到答案——并最终创造一个突破性的玩具——爱维请来了美国加州大学的一位教授。结果如何？美泰大获成功，爱维也证实了产生创造力的方法：“放松、信任和自由——就是这样。”

关于布朗兄弟哈里曼、福特和 20 世纪 50 年代的美国公司的故事就是这么多。今天的商业是真正的娱乐。

感言

你是否已自感觉到，放松的玩耍是工作的一部分？或者你还深陷于20世纪30年代、40年代或50年代的模式？这里有一些你可以做或玩的事情，可以根据你的喜好来决定。

1. 在公司内部作一番审视。你会怎样描述你的公司文化？公司员工对工作感到兴奋吗？还是，公司鼓励他们压抑自己的个性？看看下面哪一项适用于你的公司：

a) 工作是工作，娱乐是娱乐，两者绝不能相交。

b) 事实上我们不信任我们的员工；如果让他们在工作中享有乐趣，我们会吃亏。

c) 控制——我们必须保持对工作场所的控制！

d) 你可以把你自己的理由写在这里。

2. 工作场所怎样才能鼓励轻松的玩耍？在爱维的办公场所，办公桌装上了轮子，所以员工可以到处移动并自发组成临时的团队。什么样的音乐、办公家具或实用资料会为你的团队提供一个一起工作和玩耍的机会？

3. 你让员工走出去吗？我不是说解雇他们——我是说安迪·斯蒂芬诺维奇在“玩”公司提供的那种“前卫休假”。员工可以自愿参加仁爱之家，学习弹吉他，参加旅行或舞蹈课，然后带着他们在玩耍过程中得到的灵感回到公司，这会让他们在工作中更富有创意。

4. 你知道如何庆祝吗？大多数的办公室聚会让人感到尴尬和缺少诚意。对于一种知道怎样庆祝成绩和奖励员工的公司文化——真心诚意地——可以有很多话说。把庆祝会当成做生意的一部分，这样你会有更多的生意做。

5. 你们团队在哪里相聚？在《快公司》杂志，我们有环形桌——一种和吧台一样高的回旋镖形的桌子——放在厨房旁边，员工可以在这里相聚，一起吃午餐，一起喝咖啡，或只是一起闲聊一会儿。在《哈佛商业评论》，我们没有这样的地方。哪个杂志社有比我们更轻松的文化和更富创意的观念？如果你想让员工一起创新，就给他们一个聚会的地点。

在工作中娱乐是一件严肃的事情。同样，有损员工精神力量的旧模式也是一件严肃的事情。下面是“管理宗师”鲍勃·迪伦对于灵魂破碎的公司文化所说的话：

“老板的一个跟班，

在你意想不到的时候给你打电话，

试图威胁你——强迫你——用恐吓来激发你的灵感，

结果却适得其反。”

你不想出现跟鲍勃·迪伦所唱的歌一样的结局，是吗？那么就开始好玩的工作吧。

规则40 科技改变工作方式

我们拥有那么多的科技，我们那么热爱它，我们是那么依赖它。也许我们想问，科技的意义是什么？

对于这个问题的答案，我在 1989 年首度得到了一点线索。那时，我曾作为一名社会研究员在日本待了三个月。当时全球商业还处于科技竞争的早期阶段——那时传真机还仍然是一个“大件”——根据当时的见闻，我得出的结论是“我看到了未来，也看到了科技的作用”：未来将朝个人化、移动化和数字化发展。

我采访了理光公司的首席执行官，他给我作了一个演示，将一张照片从相机移到复印机，从复印机移到电脑，从电脑移到传真机。所有的信息——照片、声音、文件，不管什么——都能数字化。一旦信息数字化，它就能在不同的平台之间准确无误地传输。毫无疑问，如果不同平台之间的界限消失了，那么组织内部的界限、不同组织之间的界限、不同行业之间的界限或国家之间的界限都会消失。所有公司将会取得平等的地位，因为数字信息将消除等级差别，功能将会集于一体，因为数字信息可以把不同的功能联系起来。

信息的随意传输意味着信息将属于用户。无须将所有信息都存储到中央储存器里。我们每个人都可以拥有自己的电脑文件和电脑账号。信息将个人化，工作也将个人化。我们将从旧式的工作地点、工作时间和工作方式的约束中解脱出来。

工作可以移动化。我能想象，大群刚从办公室解放出来的日本工薪族推着高尔夫球车，穿梭在修剪整洁的球道上，接听他们的私人移动电话，仿佛就在办公室办公一样。如果工作可以个人化、移动化和数字化，那么旧的组织结构图就不得不发生变化。力量属于那些拥有最好信息和最得同事信任的人——而不是职位头衔最高的人。

个人化、移动化和数字化意味着观念可以在没有间断的和没有干扰的情况下传播。这意味着知识经济的观念可以从概念转变成现实。

感言

对科技的意义的几点感想：

1. 科技的意义不在科技本身——而在于科技的作用。

2. 你是不是技术员无所谓，你不必懂得所有的操作原理。

3. 然而，你不得不接受信息科技即将带来的所有变革。你不得不购买它、试用它、依靠它。你不一定非得拥有它，但你也并不想看到自己落后他人的结局。

4. 如果你是一名技术人员，也好。作为一个“数字土著”，你是有优势的——但不要太得意忘形了。

5. 因为你的职场优势会很短暂，你并非一定要凭借专业人士的身份终了职业生涯，你还可以考虑转技术出身为商业身份。这样你一直都会有工作。

6. 科技变革是整代人的变革。我的技术顾问桑顿会说，目前劳动力分为四代人，每代人与科技之间的关系都有各自的特点：60 岁的人用电脑，40 岁的人总是需要电脑，20 岁的人总是需要网络，而对那些 20 岁以下的人，科技就是微软游戏机。关键是，当说到工作中的科技变革时，目标总是移动的。

7. 一提起“科技”，许多人都认为科技是某种他们可以触摸、掌握或安装的东西：电脑、芯片、路由器，或一个软件程序。科技的内在实物是看不见的：科技产生的联系、科技提供的速度和灵活性，科技产生的行为改变，科技激发的创新潜力。如果你想知道科技的真正力量，可以研究那些你看不到的东西。

8. 不要过于强调科技外形的另一个原因是很多东西，从电话机到激光，再到互联网，并没有在以发明它们的初衷的方式使用。发明者创造了科技，而用途是我们发现的。更需要考虑的是科技的用途而不是科技的组成部分。比如，计算机的使用比计算机更重要。

9. 与普遍观点相反的是，科技既不是问题也不是答案。科技绝不是其本身的尺度，而一直都是我们的尺度。我遇见过的每个技术专家，包括一些诺贝尔奖获得者，都急切地希望非科技人员加入正确使用发明项目的讨论。他们迫切希望科学家和伦理学家之间以及技术专家和政治家之间进行对话。企业领导者对他们的科技创新也至少要有同样的自知之明。每项发明都会产生意外后果。不管我们作何选择，科技都会让我们作一些改变。但我们宁愿在事先作一些明明白白的选择，以决定我们希望科技如何改变我们，以及使用科技为我们服务的方式。

规则41 正确理解领导力

美国人最喜爱的“室内运动项目”莫过于领导力的培训与发展了，仅次于购物。一家商业杂志报道称，在2003年有134家公司共计派了21 000名员工参加各类领导力培训项目，总计花费2.1亿美元。还有报道称全世界在领导力的培训上总花销达数十亿美元。对于那些倾向于自我学习领导力的人，亚马逊的网上书店中有284 928种相关书籍（不包括本书）。

在《快公司》，我们对美国传统的领导力观点持怀疑态度。我认为商业类杂志和书籍倾向于把领导的形象夸大成英雄人物。我过去经常取笑其他商业杂志的封面总是“白人朝右”式的照片——成了在报摊上提高销售额的经典法宝。相反，我们提倡并欣赏的对象不是身居高位的人，而是那些真正展示了领导能力的人。那些做了领导者该做的事情的人。我们的领导力逻辑是这样的：

- 我们不简单地崇拜身居最高职位的人。(我因此被邀请至达沃斯世界经济论坛。)
- 组织已经变得太庞大了，世界已经变得太纷乱了，决策也已经变得太复杂了，变化也太快了，以至于任何一个处于最高职位的人都很难从容应对所有的一切。
- 领导者的任务不是给出所有问题的答案。
- 领导者的任务是提出正确的问题。
- 工作越来越需要团队合作。
- 团队合作需要真正能在组织的各个级别担当起领导角色的人。
- 那些在公司上下、各个级别拥有领导者人数最多的公司会取得成功。

我们需要的是基层领导力——这不是一个自相矛盾的新词，而是对领导工作的一种新看法。领导力与任何一个职位头衔都没有关系。它不会给你一个文凭、一个学位，或一个方案。领导力是思考和行动的一种方式，是一种为人处世的方式。

感言

真正的领导工作是什么？如果你想真正体验领导力，可以把它归结为四件事情：领导者是怎样的，领导者做些什么，领导者如何做，领导者留下了什么。让我们一条条地看。

领导者是怎样的。有一种我们大家都想跟随的领导者，他们是我们大家都想效仿的榜样。我们可以通过他们的为人处世来了解他们。吉姆·柯林斯对此进行了广泛论证：那些把公司从优秀发展成卓越的领导者不仅知道自己的公司有多优秀，还知道怎样审视自我。第二个重要特征：真实可靠。那些知道自己是谁，对自己的真实面貌感到自信的人吸引着我们大家。他们的自我认知让我们更容易了解和信任他们。它减少了浪费精力的大脑游戏，而这些无用功又常常伴随着那些在内心与自我争斗的高管们——然后还把这样的争斗传递给我们。最后，好领导都是好听众，肯尼迪政府学院的罗纳德·海菲兹如是说。他们让周围的人发挥出最大潜力，他们让其他人作出贡献，让他人有参与决定公司的方向和未来的感觉。“太多的领导者因话太多而失败。”罗纳德说。对于那些需要喋喋不休的领导者，结果往往是人们干脆不听了。

领导者做些什么。每位真正的领导者的事项清单的第一条往往是“吸引和培养人才”。那些在组织的各个级别拥有领导者人数最多的团队会成功。那意味着领导者很像教练：吸纳有才能但缺少经验的人，并培养他们。

你可以从点滴开始：决策产生真实的后果，成果和业绩意义重大。但是某些时候领导者不得不为职员犯的错误负责——这是领导之所以成为领导的原因，也有助于职员成长为领导者。领导者帮助员工面对现实，在他们需要保护的时候保护他们。

领导者以自己的言行作出表率。知和行有所不同。那些注重实践的领导者每天都在塑造领导力。他们天天在做的事情成为公司员工学习和灵感的源泉。

领导者激励员工以最佳状态工作。最佳领导有高标准。他们不仅自己坚持那些高标准，也要求员工履行那些标准。当一个真正的领导者离开公司后，和他共事的员工往往会说："超乎我的想象，我学到了更多，也做了更多。"

领导者如何做。真正的领导者会指导员工，而不是简单地给出答案。他们制定指导方针，让员工把他们自己的答案填到模板中。为了公司的发展，真正的领导者制定日程表、提出标准、讲解策略。然后，他们激励员工在工作中运用策略和技巧。作为过程的一部分，真正的领导者总是反思错误，就像军队运用行动后的评论来评估作战性能一样，从错误中吸取教训，自信的领导者与员工坐在一起讨论每个决策的结果，不管成功还是失败。长此以往，公司会变得越来越好。

领导者留下了什么。我们在《快公司》杂志里介绍过的迈克尔·艾伯拉萧夫是本福德号的魅力舰长，根据他在海军的工作经验，他想对企业领导者提一个简单的问题。“当你离职的时候——毫无疑问，你会在某天离职——你想给你的部队留下什么样的印象？他们为你的离职欢呼，还是觉得你对团队的意义重大，因此舍不得你走？”

一个真正的领导者会留下什么财富？

对公司的热情，对公司的热爱，把公司变得更健康和更强大的承诺。

一个卓越的团队：如果你聘用并培养了卓越的员工，并教会他们如何通力合作，那么，你可以说自己做了一个真正的领导者应该做的事情。

清晰阐述合理的价值观并向员工灌输公司的商业原则。公司倡导什么？公司信奉什么？给股东多分配一些盈利，给主管多发一些意想不到的奖金，却没料到东窗事发，出现了做假账的问题。

最后，真正的领导者可以培养出更多的领导者。如果那些有最多最好领导者的公司取得了成功，真正的领导者就是那个在组织的各个级别上培养出了更多领导者的人。领导者发挥领导力，培养出更多的领导者。那就是真正的领导者所留下的：更多人成了真正的领导者。

规则42 适者生存：企业也需要多样性

坦桑尼亚的奥杜威峡谷没什么好看的。你可以坐在一张凳子上，躲在太阳伞下，这样就不必遭受强烈的赤道阳光的照射了。在享受悠闲的同时，你可以听一个简短的介绍：社会阶层在人类先祖的时代就产生了，这是玛丽和路易斯 · 利基发现的。你可以走过一个小博物馆，站在露西脚印的石膏模型前面。但是，当你的视线从峡谷的边缘向下看峡谷的时候，你必须发挥自己的想象力并提醒自己：这里是我们开始的地方。这里是我们共同的先祖的家。想到这里，你会肃然起敬。

我当时正参加坦桑尼亚游猎组合之旅——一半是冒险，一半是“拓展训练”。冒险部分由道迪 · 皮特森带领，他的旅游公司和慈善基金会主要致力于帮助现存的土著部落维护其历史和文化。白天，道迪向我们介绍坦桑尼亚的动物和野生生物，把我们带进了马赛、哈扎比和多罗博部族的生活。晚上，我们围着篝火，理查 · 雷德带我们作一系列的训练，目的是鼓励我们回到美国后对自己的工作和生活进行观察。

“非洲的生存规则相当简单，” 道迪和理查说，“吃；不要被吃；为了繁衍后代而做爱。”稍停片刻后他们继续说：“我们不要做最后一个。”

我们对生存规则并不陌生，但是，当你从奥杜威峡谷放眼望去，越过塞伦盖蒂平原，体验部落人的日常生活。我们从恩戈罗戈罗火山口走下去，那里的环境能让你强烈地感到进化力量在发挥作用。在这个现实版的“侏罗纪公园”里，生活着规模庞大的野生生物，80%的动物在它们生命的第一年里就死去——它们成了其他动物的食物。

就在不远处，我有机会体验我们远古祖先真实的采集与狩猎生活。 我和哈扎比妇女们一起去采集食物，我们挖掘灌木的根部，挖出一些块茎在户外篝火上烤着吃。那就是 6 万多年前人类的远古生活中采集食物的部分。第二天，我有机会参加了狩猎部分——跟在一个哈扎比猎人后面走了 6 个小时，他佩带着弓和蘸了毒药的箭。回来后，我的双脚都粘满了茅草，他带回了一只脖子被射穿的珍珠鸡和整窝的红嘴鹦鹉。那天晚上，部落的人可以吃到新鲜肉了。几天后，我看到最后 3 个多罗博人悄悄跟踪一只黑斑羚——这个世界上只剩3个多罗博人了，并且3个都是男人。吃，不要被吃，为了繁衍后代而做爱。多罗博人违反了第三条生存规则。

晚上，我清醒地躺着，南半球的星空覆盖着我，我在美国从没看到过这样的星空。我想着美国的情况——那些美国企业的情况。我躺在睡袋里，试着把非洲的青山和美国的白色格子间联系起来。我们在那些办公楼和工厂里想达到的目标是什么？这里的人们很清楚地知道自己要达到的目标。他们的目标不复杂，并没有承诺要达到一个多么高的生活水准，但却是原始而明确的。他们在努力保存一种生活方式，每天的任务都是：生存。

我们的方式是什么？我们如何适应生存？能否适应？或许，生存已经淹没得太深了，以至于我们都失去了和那个原始本能之间的联系。

我第一次把公司看成部落，一群人联合起来创造一种可以延续到未来的生活方式。就像哈扎比族一样，公司是由员工和已有的社区组成的，努力为明天而奋斗，按照生物学原理和查尔斯 · 达尔文的规则生存。

适者生存。不是最强壮或最富有的人生存下来，而是最适合的人。那些有着多样性基因库的物种生存下来了，多样性的基因库可以避免某个物种变得越来越单一，以至于越来越难适应环境。多样性基因库可以防止一个物种——或一个公司——轻易地走进死胡同。

你可以把多样性基因库看成是变化的保险条款。你还可以把查尔斯 · 达尔文看成是如今最重要的商业管理宗师。

我们过去在意做正确的事情，我们的价值观是支持多样性的，我们的道德准则告诉我们机会平等是美国式的生意方式，而那天晚上在坦桑尼亚，我开始看到多样性的另外一个实例：适者生存。多样化的人群能为组织提供生存的最佳工具。当变化迅速又不可预料，多样性提供了适应的机会。

比起我们这些弱小的人类，非洲平原上有更大、更强壮、速度更快、更凶猛的动物。但是人类成功了（迄今为止），因为我们比其他动物更聪明、更有合作精神、更有创造力、更具社会性。我们通力合作，我们求同存异，这就是适者生存。

感言

我们正在经历一个前所未有的变革时代。公司将进行变革，不得不这样——否则就会被淘汰。多样性是适应力的关键和通向未来的门票。多样性是开创新思想的方式，是学习新思维和新操作法的模式，是开创新市场和开发新客户的法宝。

观察你的周围。观察你的团队，你的部门，你的董事会。漏掉了谁？通过你对世界变化形式已经了解的知识，你认为谁还需要出现在办公室里、在会议桌旁——但还没有在？为了能让你的基因库拥有适应未来的完备组合，你需要什么样的技能、背景、性别、地理、种族、宗教、文化？

人口统计资料显示，美国的少数族群将实际上很快成为多数族群。你可能想增进对西班牙文化和品位的了解，你想通过组织里的哪个人了解这些知识？越来越多的迹象表明，女性在消费购买决定中起主导作用。你的公司里女性在哪些部门掌权？巴西、俄罗斯、印度和中国将组成未来的经济联盟。你的公司里有谁知道这些国家的情况，会说这些国家的语言，可以为你讲解这些国家的文化和传统？面对你自己公司的基因库：你正因为单一性而逐渐被淘汰吗？你的聘用政策是以均等就业机会委员会为依据吗——或以自然规则为依据？从今天开始，自然选择应成为你的聘用政策。

多样性与意识形态和道德无关，它是一个务实的生存策略，是对急速变化的明智回应。拒绝多样性的公司将自担风险——不仅因为这样做会促使它们采取错误的社会观，而且也会促使他们采取错误的自然观。多样性作为生存的法宝可以追溯到人类经历的压箱秘籍，从奥杜威峡谷到公司董事会，一路流传下来。

规则43 证书不等于能力

这是美国最大的银行之一。会场位于最高楼层，是一个开放式的会议室，四周都是落地玻璃，纽约市一览无余。听众是银行的高管团队和人力资源部门，大约有50人。他们要求我讲的题目是银行策略、领导力培训计划、人力资源部之间的联系，或更确切地说，它们之间没有什么联系。

他们早先向我透露过此次会议想解决的问题：银行在招聘有才能的女性雇员和少数族群雇员，但这些人又很快离职了。

会议虽然进展顺利，但直到结束我才感到它的意义。

我离开会议室到茶水间倒杯咖啡，让听众以小组形式自由讨论——对比笔记、查看信息、闲谈交流。我刚倒好咖啡，银行总裁就来茶水间找我了。我见到他并不高兴。

其中一个原因是，我没有心情听他对我的演讲进行评论，特别是他的言行不一致。另一个原因是我不喜欢他的表情。他看起来就像是电影演员选派部派来演“银行总裁”的角色。如漆皮般油亮的黑发，鬓角有几丝灰色，身材高大，大摇大摆地像个乡村俱乐部运动员。身穿一套质地上乘的蓝色套装和一件质地同样上乘的白色衬衫，领带也是高品质的。我看了他一眼，我想自己已经知道了为什么他的银行会无力留住优秀的女员工和少数族裔员工。

“我喜欢你的发言，”他一边说一边和我握手，“但你没有谈招聘策略。你可能想知道我们的情况。”

这不是我想听的话。

“我们发现每个公司都想招聘同样的人，”他说，“每个公司都在争抢某些学校排名前 5%~10% 的毕业生——来自哈佛大学、沃顿商学院、斯坦福大学等院学的毕业生，你了解那些学校。麦肯锡公司、波士顿咨询公司、高盛集团，每家咨询公司或银行都想招聘那样的人。这毫无意义。”

这真的不是我想听的话。

“我们是这样做的，”他说，“我们派员工到路易斯安那州和密西西比州毫不知名的学校去招人。那些学校虽然没有名气，但班上的前几名还是很不错的——他们也更需要工作。我们通过这样的方式得到了一些优秀人才，而且成本比通常要小。”

我们聊了一会儿，他再次感谢我的演讲，然后他走出茶水间，加入了听众们的讨论。

我一直没机会好好感谢他。仅仅通过他告诉我的那几件关于他的团队的事情，我得出一个重要规则。

感言

在体育、艺术，甚至政治方面，我们已经克服了文凭主义。然而，在商业领域，出于某种原因，文凭主义仍然盛行。商学院院长也许会在公开场合否认，但私底下却小心翼翼地查看每年的排名，看一下自己的学校排在第几名。申请人也可能会对排名不以为然，但他们都知道自己选择的学校排名第几。蓝筹股公司的招聘人员特别注意把最优秀的人带出去一起吃饭并与他们签署工作合同，以及为他们提供优厚的奖金。

人才的确重要，但文凭呢？

在约翰 · 麦克阿瑟做哈佛商学院院长的时候，他常打趣说一旦某个行业开始雇用太多的哈佛商学院毕业生，这个行业的寿命就会短很多。最近，沃伦 · 巴菲特跟学生说商学院没有教的事情恰恰是他最看重的事情：写作、演讲和交流。当谈到企业家精神的时候，盖伊 · 川崎说，“我不认为工商管理硕士对初创公司有很大的作用。”

我们听到越来越多的观点是：“雇用看态度，技术靠培训。”在一个快速变化的经济时代，人们将一直需要学习和适应新形势。文凭并不能保证一个人拥有开放的心态和应对变化的热情态度。随着客户要求的改变，咨询公司也在改变他们的招聘条件：那些有社会学、人类学和心理学或其他学科背景的人和工商管理硕士一样有价值。一些公司意识到有必要自己培养人才，所以将更多的精力花在内部大学上。这比聘用刚毕业的工商管理硕士并再次培训他们的成本要低，而且也更有效。

所以，如果文凭不那么重要，那什么更重要呢？

沃伦·巴菲特在和一群未来的工商管理硕士谈话的时候，提出一个问题：假设你可以拥有你某位同班同学未来收入的10%。你会买谁的股票？接着巴菲特给出了他自己的答案。你不会选智商最高或成绩最好的同学。班上的任何人都聪明得足以让你投资，他们的差别显得不太重要。然而，他说，你会挑选那个品格最令你喜欢的同学：最宽宏大量、最诚实可靠的人，人人都乐于与其一起共事的人。

然后，他把这个思考实验颠倒过来：如果让你挑选未来最黯淡的人，你会用什么样的标准？同样，那不会是成绩最差或考试最糟糕的人。我们都知道那些因素并不能准确地预示着未来的失败。相反，你会选那些性格最不受欢迎的人：自高自大、缺少诚信、道德观缺失，或不愿做团队的一员。

换句话说就是指品质。

而不是文凭上的学校名称或简历上的职位头衔。

重要的不是文凭，而是品质。

那是判断一个人的正确方法，也是正确的选人策略。

规则44 做生意，专业知识非常重要

当我来到哈佛商学院的时候，我对商业的认识来自在政府部门的工作经验。

事情并非想象的那样荒谬。在交通部工作期间，我有机会和三大汽车制造商的首席执行官直接打交道。我曾旁听丰田英二以及约翰·德罗宁的会议，后者希望其回到未来的汽车公司能得到政府支持。随着对铁路、航空和货运行业的管制解除，我对产业经济学有所了解。在更早一些时候，在和城市开发商达成协议的谈判过程中，我在市府受到了一些基础培训。

就这样，我在哈佛商学院学到的第一件事情就是我还得学多少知识。我的教授不仅在学校教书，他们中大部分也都是从本校毕业的。那意味着案例库对他们来说是耳熟能详的。我试着读那些案例，一点都不懂。但当我在那里待了一段时间后，参加了教员会议，编辑了《哈佛商业评论》的学术文章，在教员餐厅吃午餐，我逐渐开始理解

了，可能是潜移默化的作用吧。商业历史、商业政策、策略、营销、金融、人力资源——我开始了解那些故事及其背景。

但有一件事情让我疑惑不解：《哈佛商业评论》当时声称自己的使命是培养总经理。这个概念的含义就是，如果你读了足够多的案例分析材料并学会分辨深藏在企业运行中的商业原理，你就几乎可以在任何行业大干一番。但那和实际情况似乎不相符。

让我们以苹果公司为例。史蒂夫 · 乔布斯把约翰 · 斯卡利从百事招来管理电脑公司。在我看来，这毫无意义。约翰 · 斯卡利懂的是汽水，而不是电脑。李 · 艾柯卡因挽救了克莱斯勒而受到好评——但那就能让他成为总裁的合适人选吗？如果你是一位总经理，你能管理任何公司吗？从汽车公司、汽水公司到电脑公司，你都能管理吗？这个世界上是否存在一个通用的《总经理手册》，对每家公司和每个行业都合适？

难道你不需要特定行业的专业知识吗？

后来我离开《哈佛商业评论》，和比尔 · 泰勒创办《快公司》杂志。比尔曾主办麻省理工学院的《斯隆管理评论》，后来也在《哈佛商业评论》工作，我当时是《哈佛商业评论》的主管。实际上我们两人都对商业、管理和出版业很了解。我们都有很厚的名片簿，我们认识很多聪明人物，在创办杂志的实际工作过程中以及有关职场变化的新鲜点子方面，他们可以给我们提建议。我们有很多东西要学，也有很多东西要借鉴——以使我们能够开创自己的事业、创办我们的杂志。

随后是网络热。突然间，商业杂志成了大家争相关注的地方。广告商嚷嚷着要买整页广告，风险投资家评估出新的值得投资的书刊。只要有广告需求和投资意愿的地方，就有新的杂志产生。可以把杂志想象成一个妙想的面包，把那些美元想象成肉汁。

我记得当我看到时髦商业杂志突然间大量涌现的时候，我感到不小的震惊。不是因为冒出太多这样的杂志，而是因为它们中的大多数都不知道自己在说些什么。它们就像是由总编经营的——杂志社的总编相当于总经理的位置。篇章是清楚的，设计相当不错，但它们与商业和职业没有深刻的联系。它们知道什么看起来是酷的，却不知道什么是真实有用的。

它们不具有特定行业的专业知识。

现在，如果有企业家给我看他们的商业计划，我总是用我自己的方式对他们说："我对你的行业不了解，所以请对我说的一切持保留态度。"因为尽管我相信每个初创公司都需要能量、创造力和勇气，但我也知道没有什么经验能替代行业知识。没有什么能战胜某个行业的专业知识。

感言

如果你阅读当今流行的商业类书刊，

你将会发现所有成功的初创公司的经历都暗示着同一个创业模式：

- 在 18~25 岁之间开始创业。
- 辍学，或有一个书呆子室友。
- 向家人和朋友借钱，或耍花招让同班同学为你和书呆子室友在聚会上喝的啤酒付钱。
- 用那些钱为自己的创意建一个网站。
- 对自己的创意进行病毒式营销。

- 把它卖给鲁伯特 · 默多克或一个想变得更时髦的大型媒体公司。

就是这样的，把它当做不用翅膀的飞行。但我的头脑中有一个稍微不同的模式。

你的年龄无所谓。

从你有激情的事情开始做起。不要想着变得富有，考虑某件你内心有动力想做的事情，即使不赚一分钱你都愿意做的事情。

全面了解自己的热情。

阅读所有你能得到的资料。找个比你更懂的人，与他们如影随形。你可以通过培养收藏爱好来显示你的热情。让你的周围充斥着工艺品、历史资料、事例等一切有助于你了解那些自己想了解的东西。

继续做你的事情，知道你比任何人都更了解那个你感兴趣的东西。

我并非意在说明如何创业。我绝对不是在告诉你如何变得富有、出名或成功。

我想说的是，这会把你带到你想去的地方。它将让你成为某个你最喜爱的领域的真正专家。我没有把你和那些只有一般信息而没有专业知识的人混为一谈。它将开启你对一项未来最重要技能的不懈探索：学习的艺术。

不是终身学习，而是为生活而学习。

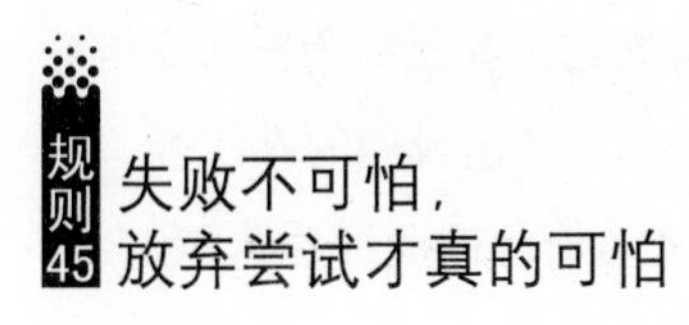

规则45 失败不可怕，放弃尝试才真的可怕

“我们会变穷吗？”阿曼达问我。

那时我的女儿 11 岁。我们全家围坐在餐桌边，当我把即将离开《哈佛商业评论》并全力创办我自己的杂志的消息告诉全家的时候，阿曼达的话最多。

阿曼达的问题让一次艰难的对话变得更轻松一些。我理解她的担心：为了我在《哈佛商业评论》的工作，我们举家从波特兰来到波士顿。那时亚当才四五岁；阿曼达还是个新生儿，她的第一间卧室是一个仅能容下她的婴儿床的小房间。他们两个都是我在《哈佛商业评论》工作期间长大的。而现在这段时光即将结束，只是为了某个现在甚至都还不存在的公司。

阿曼达的问题打破了紧张的气氛。

部分原因在于她提问的方式——“变穷”听起来像是“变秃顶”

或“变得失明”等这类身体上的改变。我从来都没想到过人能“变穷”。我对这个想法一笑而过。

部分原因在于我能向她保证我们不会变穷。我已经为家人安排好生活保障，这样，我和比尔 · 泰勒就可以去追逐我们的杂志梦。我知道让阿曼达感到疑惑的是如果我不离开《哈佛商业评论》，我会得到晋升。那使我可以很轻松地跟她说我们会很好。

“你是说我们不会睡在马路边吗？”她问。

我向她保证我们不会睡在外面。

我那时不能向她解释的是——而且她也没问的是——我为什么要那样做。为什么我必须那样做，哪怕会失败。

事实上，我已经为离开《哈佛商业评论》的事情思考了一年多时间。而《快公司》杂志的想法只不过是最终促使了这个决定的产生——尽管很多人劝我不要离开，而我也感到很多压力。

我跟一个资深职员说过我在《哈佛商业评论》工作得不开心。没关系，他说。待在《哈佛商业评论》，但不要太认真了。可以找个同事合作，一起写些东西，自己作些研究。把《哈佛商业评论》的职位当成自己事业的一个平台。

另一个职员鼓励我继续做下去，但只是再做一两年。事情自然会得到解决。如果我坚持到那个时候，学校会给我安排一个更好的工作，作为对我的奖励。

更高水平、更多收入、更多保障，这是一个有无限威望的机构能给予我的——这些都是待下去的理由。如果我看到自己的未来 10 年，我能看到自己仍然在哈佛商学院，仍然可能在《哈佛商业评论》。那就是促使我决定离开的原因。

《快公司》杂志在我的脑中蠢蠢欲动。它就像是我的一切。我感觉我生命中所做的一切都是为了创办《快公司》杂志，那似乎是自然而然的，也是必然的。

问题不在于那是否是一个好主意。问题也不在于那是否行得通。问题在于，我有勇气尝试吗？

我已经 45 岁了。我可以留在哈佛，做我的那些同事和朋友建议的事情。但是每过一年对我来说就更难离开了。再过 5 年 10 年的话，我会冒险创办一个杂志类初创公司吗？

我看到了未来的 10 年。

在 45 岁，对于在这个年龄作出的选择，最坏的结果是什么呢？

是不是我尝试创办一个杂志但失败了？

还是我放弃了尝试？

感言

让我们稍事停顿，为失败歌唱。

事实就是这样，正如巴顿在电影《巴顿将军》里开篇所说的：美国人喜爱胜者，不能容纳失败者。但美国同样也是世界上少有的可以允许失败并东山再起的国家，在美国，你可以有多次从头再来的机会。而在日本、法国、斯堪的那维亚，你不能这样做，因为在那些地方，人们不赞成冒险。在那些国家的文化中，任何有勇气笑对失败的人都可能受到社会的永久排斥。

风险投资家每天去硅谷上班，对于自己投在硅谷的大部分资金，对于失败的预期他们心里有数，因为硅谷是世界上少有的充满风险的地方。不仅如此，风险投资家还会查看那些给他们寄送商业计划的企业家的简历，看那些企业家在过去是否有过失败的经历——目的不在于惩罚他们的失败而是奖励他们。假设的操作方案是如果你还没有失败过，你的事业就还没伸展开来。失败给人提供的教训是其他任何经历都无法体会到的。

在《快公司》杂志，我们发现那些作者倾力分享失败经历的文章在读者中引起的反响最大。莫特·梅尔森的文章《我认为我所知道的有关领导力的知识全都是错误的》，刊登在杂志第2期上，使我们的杂志出了名。还有一个著名的首席执行官，和罗斯·佩鲁特一起把EDS公司变成了一个充斥公司政治的地方，向世界讲述他作为领导者的失败经历。商业杂志里的文章通常要么夸大地赞美首席执行官的优点；要么做点扒粪的动作对领导者不为人知的失败经历进行披露。但是，如果首席执行官公开讲述自己的缺点会怎么样？读者对莫特的诚实大加赞赏——这一直持续到今天。直到今天，莫特都还能收到读者的电子邮件，他们第一次读到他的故事，就被他对商业和人生的感悟深深感动。

关于失败的好处还有很多话要说。但关于失败最重要的事情是我们需要从不同的角度来看待它。对许多生意人来说失败意味着痛苦：你不惜一切代价避免失败。失败以多种方式伤害着你——失败可以损害你的名誉、损害你的银行存款、损害你的职业。失败，或只是失败的风险就能把我们每个人变成懦夫。

你呢？你对失败有什么看法？失败是你不惜一切代价想避免的事情吗？失败是一个痛苦的惩罚，所以你想逃避失败吗？

可以暂时不考虑这个问题。不考虑失败——或成功这个话题。

考虑什么是你的愿望。你想脱颖而出吗？你想在工作和生活中做出成绩吗？你想在你的行业、你的社区、你的家庭里留下印记吗？你想给大家留下一个什么样的印象？

那些求稳的人不会知道这些问题的答案。而他们也不大可能会想到这些问题。谨慎行事看似会避免失败，但实际上却往往失败。

“你不能保证成功，”这是约翰·亚当斯写给他的妻子阿比盖尔的话，“你只是有可能成功。”

他的意思是说，只要继续努力尝试，就不会失败。

如果你不惧怕失败，你今天会努力尝试什么？

10年以后，如果从没尝试过，你会后悔吗？

规则46 “刚柔相济”的领导力

过去4年以来，每年的Waldzell会议都邀请世界上最鼓舞人心的人物作演讲。每年，不管那些被邀的名人是谁，也不管他们的发言内容是什么，一些无名小辈总会抢点儿他们的风头：未来的建筑师——那些年轻人为世界上最贫穷的人提供希望和帮助，每年都有这样的年轻人被选入Waldzell会议。

他们并非是真正的建筑师。保罗·柯艾略提出，把一群来自世界各地的年轻人聚集在为Waldzell会议上并称他们为未来的建筑师，他的想法是给年轻有为的社会企业家一个向世界思想领袖学习的机会。

让人觉得不可思议的是：每年的会议上，是未来建筑师们在教育、引导和鼓舞着人们。跟他们相比，其他与会者显得逊色不少。参加Waldzell会议的人们离开的时候总是在讨论建筑师们所做的工作。虽然每个建筑师只有5分钟的时间描述他或她的项目，但是他们的发言每次都得到了观众的热烈鼓掌。比如，来自英国的理查德·奥尔德森，他的工作是培训印度下一代的社会企业家；来自斯洛伐克的丹尼萨 · 奥古斯汀诺娃，正在建立一个非营利组织帮助处境危难的儿童；来自以色列的萨莉 · 巴什，为340万巴勒斯坦难民提供法律保护；来自印度尼西亚的里德王 · 古斯提亚拿，为他的国人提供紧急医疗帮助。不管是哪个建筑师，观众的回应总是一样的：对他们每个人所选择的工作产生深深的敬意、谢意和钦佩。

问题是：为什么明明有机会听弗兰克 · 盖里、伊莎贝拉 · 阿连德或克瑞格 · 温特这些大人物发言并与他们进行交流，而结果却被那些年轻人给感动和故舞呢？

原因在于，这些年轻的社会企业家能给我们极度需要和想要的东西。他们是务实的理想主义者。他们非常强硬，直白地表达自己的感情。他们是怀揣着艰苦和浪漫主义思想的年轻人，他们相信自己能改变世界并愿意为实现理想做艰苦的工作。艰苦和浪漫的组合正是世人极度需要的，也是内心深处需要的——虽然表面上竭力批评和劝阻。这些年轻人的强硬和爱心——为什么令人鼓舞？

很多情况下，当我们谈到强硬和爱心这一对词语的时候，它们往往不是同时存在。商业杂志中充斥的是强硬领导的形象，他们以常规方式使用自己的权力：赚钱、立业、出名。而社会事业则往往由那些鼓励我们为世界上的穷人奉献爱心的领导者所倡导：要慷慨、要伸出援助之手、要显示我们的同情心。第一条告诉我们要接受世界的现实，第二条告诉我们要希望世界变得更美好。没有一条是标新立异的。

那些直露感情的强硬领导者的特点是他们清晰地对变革作出承诺。他们的兴趣不仅在于高尚的理想——也必须是现实的，有可能实现的事业。如果高尚的理想失败了，是没有荣誉感可言的；激进的实用主义总会揪住实际结果不放。

我们都倦于观看善意的变革者为了做善事而牺牲生命，我们都倦于为自己的事业牺牲。我们想为了自己的事业活着——并看到我们的事业取得成功。

感言

波棱医生是一位受到国际认可的荣格心理学分析家，也是加利福尼亚大学的一位精神病学教授。最近我听她讲了普罗克汝斯忒斯的故事，这个故事来自古希腊神话。故事中，普罗克汝斯忒斯会在通往雅典的路上架起他那张有名的床。当某个旅行者靠近的时候，普罗克汝斯忒斯会估计他的身高：如果身材高大，普罗克汝斯忒斯会把床调短；如果身材矮小，他会把床调长。当旅行者躺在普罗克汝斯忒斯的床上，他们比床长的部分会被砍掉，比床短的部分会被拉长。每个旅行者的身体都在普罗克汝斯忒斯的准则下被修改了。

如今，商业领导者和社会活动家都经受着普罗克汝斯忒斯式的调整，以适应现代模式。意志坚强的商业领导者在继续通往雅典的成功之路上把温柔的心思都抛弃掉。心存善念社会活动家在开始他们通往变革的道路之前把他们的强硬一面抛弃掉。两者都合理地利用了“普罗克汝斯忒斯的床”。

世界同时渴望温情和效率，两者并非不可兼得。那就是未来“建筑师们”代表的——感召力和行动力。他们在感动人心中促进变革。

不管你是鼓舞人心的社会变革者还

是企业变革者，你都值得思索你开始的地方以及你现在的地方。你是否在无意识中顺从了“普罗克汝斯忒斯的床”？

当你开始工作的时候，是什么激励了你？你为出色工作曾作过什么承诺吗？当你一路决策下来，你最初的意图是否发生了变化？如果你想为世界带来变化，毫无疑问世界也曾拒绝过变化——这就是生活。如果你梦想成为公司的一名出类拔萃的领导者，你会受到来自公司内部的阻力——这不奇怪。看看你自己是如何应对阻力的。你变得软弱了吗？或更加坚强？你的心灵已经长了茧？多次失败是否使你觉得失败就是你的命运？

难题在于：你是否改变了战术——你是否在价值观上也妥协了？你打算改变航道吗——你完全放弃了自己的航道吗？

对于那些想改变世界的人而言，世界并不是一个简单的地方。世人不会欣然接受那些对现状不满的人，也不会轻易就认同：不能因为现状良好就认为明天还会这样。

那没关系，那就是普罗克汝斯忒斯的床。现在有另一个游戏方式。我们目睹着商业、政界和非营利组织里出现一类新的领导者，他们把浪漫的理想和务实的解决方案结合起来。这是些不害怕把自己的理想公开出来的人，他们不怕自己会被嘲笑为“软弱”或“低效”，他们有严格的行动和实际的成果显示强硬的领导者也有柔心的一面。那种领导力正是世界所需要的，那也是世人最终会积极响应的。

规则47 每个人都在世界的中心

坐在日本航空公司从肯尼迪国际机场飞往日本成田机场的航班上，我即将开始为期三个月的日本社会研究项目。在接受几个月来有关日本的知识培训后，我终于踏上了飞往日本的航班，带着好几本活页笔记本，里面塞满了公司简介和一些正式的推介函。

我还没有完全准备好。那是一次长达16小时的飞行，也是一个耐力测试。为了安慰自己，也为了了解我即将体验到的事情，我抽出了椅背口袋里日本航空公司提供的航班杂志。如果我能在地图上找到纽约和东京之间的线路，或许能让我的旅行变得轻松些。

可我却更糊涂了。

我在杂志的背面看到了世界地图。但是，在世界地图上找不到纽约。

我当然知道纽约在哪里。在一张普通的美国地图上，佛罗里达的

“手指”指向地图底部的右手边，得克萨斯的“弯钩”在地图的中间，加利福尼亚向上延伸，在地图的左手边，纽约在地图上方的右手边。

可这张地图不是这样的。在这儿，加利福尼亚在右手边。旧金山和洛杉矶在本该是纽约的地方。

我再看了一遍。毫无疑问，如果旧金山和洛杉矶在原来纽约的位置，那么纽约就会在前者通常的位置，在左边的海岸线上，肯定就在那里。

一旦找到了纽约，我就能看懂整张地图了。

问题不在于纽约是否在正确的位置。

问题是整个美国的位置都标得不正确。

这是日本航空公司提供的世界地图，上面位于中心的不是美国，而是日本。一幅以日本为中心的世界地图意味着美国被颠倒了，纽约被放在了左边，旧金山和洛杉矶被放在了右边。我的世界观是美国在中心，我所见过的每幅地图都是基于那样的观点。日本的世界观把日本放在了中心位置，或许日本的每幅地图都反映以日本为中心的观点。

我对自己的困惑付诸一笑，欣然接受新的理解方式：我都还没离开纽约，就已经学到了一个新规则，这是一种理解世界的新方式。

当我思考美国的世界地图和日本的世界地图之间的差别，我得出了进一步的认识：这种差别不仅存在于美国和日本之间。每个国家都把自己视为世界的中心并相应地绘制自己的世界地图。

我立刻明白：我们都同时位于世界的中心。

感言

1989 年那段日子，我在日本之旅中顿悟出一个道理，20 年以后，这竟成了铁铮铮的现实。

20 年以前，有些地方相对来说是世界的中心。华尔街是世界的金融中心，好莱坞是世界的娱乐中心，米兰是世界的时尚中心，麦迪逊大道是世界的广告业中心。各行各业自有其位，各行各业自谋其位。

现在，如果你想了解金融的未来，你可以去北京——如果你想成为世界电影产业的一员，你可以去新西兰，或去印度的宝莱坞看看。世界上最热门的广告商在哪里？试一下伦敦、东京，或旧金山。至于时装，圣保罗、柏林，或其他任何地方都可以。

什么发生了变化？人才、科技和权力发生了变化。有一技之长的人不再一定要去老式的产业中心打考勤卡。如果你有足够的能力，你可以随自己的喜好在任何地方工作。其他有才能的人将会发现你，把你找到，并找到一个与你合作的办法。

那就是科技扮演的角色。只要科技将人们连接在一起，不管他们选择在哪里工作，产业中心就在他们所在的地方。这意味着我们可以舒适地在一起工作，而又不必每天见面。

然后是权力的问题。以前是由“光明守护者”来决定哪些人重要哪些人不重要，而今没有这个必要了。在一个个行业中，“独立”这个词告诉大家最有创意的工作在哪里，以及最有活力的人在哪里工作。

这些变化让三件事情变成了现实。

第一，世界无处不是课堂。如果你想成为一个商业和创新专业的学生，全世界都是你的课堂。

第二，你可以决定自己想在哪里开店。你可以精心作决策——中国是未来的潮流所在，比如把北京或深圳包括进你的全球教育计划中。也许你认为生活质量对于你的重要性不亚于经济收益，那么，你可以选择科罗拉多的斯普林斯市或阿什维尔作为你经营的主要场所。

弗兰克·西纳特拉在其歌集中认为，如果你想成功，你就必须舍弃小城镇的怀旧情感，奔向纽约，前提是你既然能在那里成功，就能在任何地方成功。现在反过来了：你既然可以在任何地方成功——那为什么一定要待在那里呢？

第三，如果你是一位有才能的企业家或志向远大的专业人才，而且你可以自行选择在何处工作和生活，那有什么关系？什么因素能阻碍你的决定？

一直以来，关键都在于人才。你所在的地方有足够聪明、用心、高能力的人吗？人才库足够大吗？会有更多的人才愿意与你共事吗？需要哪些条件才能有效地从人才库中提取人才？

另一个关键因素是包括交通在内的科技基础设施。资金和信息的流动能否畅通无阻？你、你的客户、你的合作伙伴能轻松及时地相互拜访吗？

你所在社区的智力水平如何？那里有可以提高人们整体智力水平的学院和大学、思想库或培训中心吗？如果更聪明的人能成功——事实就是这样的——为了吸引、提高和投资智力，你的社区在做什么样的努力？

你怎样衡量社区的活力？更多并不一定更好，忙乱就太过头了。但是如果一个社区没有健康的“嗡嗡声”，那么它就不是一个创办企业和安置员工的好地方。

社区的其他价值观如何？公民参与情况如何？在那里居住的人们关心那个他们称之为家的地方吗？人们具有同理心吗？人们相互关心吗？人们具有未来倾向吗？对于社区未来的面貌，人们正努力建造一个共同的信念吗？

这是个不断变小的大世界。没有意义去争论世界是否平坦。事实是世界上的每个人之间都紧密相连。日本航空公司的地图并没有错：你在世界的中心，而其他人也在世界的中心。

规则48 变革要从形象工程开始

1990 年，对于纽约的社会服务机构处理长期无家可归问题的方式，罗赞 · 哈格蒂心里充满疑惑，她觉得自己不得不作一些改变。主管这个问题的官员和专家似乎愿意忍受现状，而罗赞却下定决心要根治这个问题。她有一个合情合理的理想模式，并建立了一个名为“共同基础”的组织来行使这个使命。她的问题在于：如何从计划到执行。她必须证明她的模式是行之有效的，同时她还必须创造条件使她的模式得以运行。换句话说，如果说变革是一个数学公式的话，她必须同时解答两个等式。

这个双向难题的答案以一种看似几乎不可能的外表呈现。时代广场的中心屹立着时代广场酒店，酒店的四周污秽而危险，充斥着毒品交易、卖淫和街头犯罪。如果说周围的街区一片黑暗，那么时代广场酒店就是黑暗的中心。堕落的大厦里充满了失落的人，也为街上的商贩、皮条客和妓女提供了做买卖的避风港。如果出售这座大厦，估计没人想买。

但罗赞除外。她把这个地狱般的酒店看成是打造形象工程的机会。她可以以此来证明她的变革模式是正确的，而同时又为街区和成百上千无家可归的纽约人的生活带来真正的变化。

由于她需要做的第一件事情就是获得购买大厦的资金支持，她首创依照经济学的方式来解决这件事情。对于她希望创造的这种变革，当时有一个她必须注意的商业案例。

为无家可归者提供租房服务的花费比提供住房要多大约 3 倍，纽约对此是否清楚？纽约的主要金融机构是否意识到改造时代广场酒店会使整个时代广场地区的形象得到提升？一次成功的酒店改造——即使只是把经常出现在那里的毒贩换成曾经无家可归的人——就足以推动整个街区的经济发展。

罗赞已从纽约市政府以及私企支持者，如克罗洛克斯公司和摩根公司筹到 4 100 万美元的支持款项。这些资金将用于改造时代广场酒店，把酒店从藏污纳垢之所转变成长期无家可归者得到援救之所。

首先，“共同基础”团队把污秽的酒店改造成了 652 套小套房，并为入住的曾经无家可归的房客提供现场社会服务。然后罗赞邀请品牌企业如本杰里和星巴克租用大厦里面或附近的店面。她再一次运用单一手法解决两个问题：著名的商业企业为新搬出大厦的居民提供就业机会，帮助他们洗心革面。而且他们也给其他的企业以信心——时代广场真的要重建。不久，迪士尼在时代广场地区开了一家主力商店，时代广场也开始正式回归美好的时光。

一个形象工程显示了罗赞的战略是具有生命力的，在治理无家可归现象的同时，也激励了整个街区的持续复兴。这证明了一个反直觉的观点，非营利组织可以在为纳税人省钱的同时也为合作伙伴和投资者产生利润。这也为罗赞后来更大的举措提供了一个成功的范例，包括后来在整个纽约市以及美国其他城市的工程。

感言

变革是今天的时尚。政治家许诺变革，非营利组织设立项目以实现变革，众多公司纷纷花钱举办培训课以使员工学习变革。

问题在于，很少人真正相信变革。变革是一个太冗长的概念，以至于很难全部吸收。如何变革？什么时候？什么内容？

形象工程的任务就是要让变革值得信赖。一旦人们亲眼看见了变革，感觉到了变革，并从中受益，那么变革就不是一个抽象的概念，而是真实的。

从罗赞·哈格蒂身上以及时代广场酒店的形象工程中，你能学到什么？

1. **战略有益**。一个怎样进行变革的模式可以引导你的行动并为你提供一个可以说服他人的脚本。把你的模式视为一个社会行动的商业计划。它和营利组织的商业计划一样需要规则、严格执行以及外部支持。在你考察计划的过程中，你将向他人学习、找到项目以及招募朋友，在计划变成现实的过程中，将需要他们的帮助。

2. **对起步者而言，要把精力集中在**

可行性上面。你的第一个项目必须成功，如果你想为以后更大的变革计划积累信誉的话。选一个能代表你的视野而且成功的概率也很大的项目。当你在制订计划和策略的时候，也在寻找合适的项目。在这个阶段，任何问题都有可能是机会。是非之地的时代广场成了罗赞·哈格蒂的完美展示舞台。

3. 必须遵循经济学原理。记住公式，“一旦保持现状的成本高于变化的风险，变化就会发生。”如果你的项目能节省资金或产生收益，你成功的概率就立刻倍增。你需要市场对你投赞成的一票。当你遵循经济学原理的时候，你就给了市场为你投票的另一个理由。

4. 寻找重要的合作伙伴。当罗赞·哈格蒂邀请纽约市政府、克罗洛克斯公司、摩根公司、本杰里和星巴克加入她的团队，她得到的不仅是资金方面的支持。她也受益于他们的认同、影响力以及信誉。尽管他们的计划跟罗赞的只有部分相同，但她却能够得到他们的全力支持。

5. 把变革看成结缕草。园丁通过种植一株草来生成一整片草坪。一株草为整个草坪奠定了基础，然后再种植一株草。这两株草就开始相对而长。一段时间后，随着一株一株的草长开来覆盖住地面，草坪就形成了，由此逐渐改变了整个景观。

你的第一个形象工程就是第一株
结缕草。它会为你建立信誉，为你赢得转机。

通常第一株草暗示第二株应该种在哪里。它可以使别人知道你的项目如何变成一个策略。它甚至可能为你带来新的资金支持、重要的政治支持和新的合作伙伴。

最重要的是，它把变革的承诺变成现实。它把大胆的构想变成辉煌的成果。

规则49 培养领导力，先撤消你的“边境卫兵”

那是发生在1968年的故事。我的兄弟马克完成了他在德国富布赖特基金项目的学习，我飞到德国与他共度暑假，我们开着他买的大众汽车在整个欧洲旅行。我们去布拉格享受了那里短暂的春天，然后就驱车前往联邦德国。

回来的唯一道路是通过民主德国的一条通道。我们在一个检查站停下车子，那里全副武装的民主德国边境卫兵控制着车流量。

当轮到我们的时候，我们把护照递给了其中一个卫兵，他是一个穿着民主德国部队制服的高大男人，佩带着一把自动步枪。他看了看我们的护照，招手示意我们把车子开到一个停车场去。然后他就回到边境卫兵岗位上去了。

我们坐在停车场里，看着卫兵招呼其他车辆通过。一个小时后，我们觉得有些困乏，走出车子伸展一下四肢。又一个小时过去了，我们仍然站在停车场里。那个拿了我们护照的卫兵似乎没有再次出现的迹象，我们的护照也无影无踪。我们处于民主德国边境检查站的无人地带，手头没有任何身份证明文件。

第三个小时快结束的时候，马克觉得自己受够了。当然了，我们是年轻的美国人，毫无疑问，那些民主德国人觉得找我们的麻烦是一件有趣的事情。他们不知道马克的德语好得都可以充当当地人通过检查站。

他引起了一个卫兵的注意。他不是那个拿走我们护照的人，但是他本人以及他的枪都是那么大，这对我们来说具有同样的威慑力。当那个卫兵走近我们的时候，马克用标准的德语说，“你的一个朋友大约 3 小时前拿走了我们的护照，他现在可能已经到了西柏林。”

卫兵向后转，回到他的岗位。当他再次走向我们的时候，把护照交给了我们，并示意我们到队列的前面，随后，我们通过了检查站，穿过了边境。

这是点睛之笔：40 年过去了，边境卫兵已经消失了，民主德国也已经不复存在，统一的德国的总理曾在那个消失了的国家里长大。

感言

不管是否意识到，我们都会雇用边境卫兵——有时是比喻性的，有时是指真正的卫兵。在这两种情况中，原因总是一样的：我们需要他们的保护，我们的生存需要他们。而实际情况常常给颠倒过来了：卫兵成了狱警，存在的并不一定是最重要的。你的职位逐渐向上发展，你在事业上取得越来越多的成功，你就拥有越来越多的卫兵，而你的开销也越来越大。

以我在哈佛商学院的经历为例。当我第一次踏入校园的时候，觉得它就像一个与外面隔绝的城市。仅仅是校园布局就让人感觉它像是一块与外界隔绝的飞地，由一条壕沟隔开。大门设有门卫，只有那些有邀请函的人才能通过大门。

一段时间以后，我最初的感觉开始消退。在门内的感觉真好，那意味着我是最优秀、最聪明的人之一。《哈佛商业评论》的名片就像一个护照，使我能够进入教员餐厅、图书馆、体育馆。我能够进入内部圣地标志着我的精英身份。

当我离开哈佛商学院，大门砰然关闭。如果我想回来看望某位教员朋友，门卫要我登记并写明要拜访的人名，还要我把车子停在外来人员停车区。这让我感叹：哈佛商学院邀请来的或需要的人为什么会被门卫挡在门外。固守防线的代价是什么?

当然并不只是国家和大学花钱在边界进行隔离。我还看见个人也这样做——领导者通常这么做的目的是为了捍卫自己成功的地位。他们从学习者的身份开始自己的事业，开明而随和。当他们在组织中的职位渐渐高升——通常因为他们是学习者——他们常常受制于他人强加给他们的要求和期待。太多的苛求了。结果是他们渐渐形成了一具隐形的体外甲壳，那是一件具有保护性能的“防弹衣”。这对巨大的压力有所缓解，但也有代价：领导者无法在甲壳外部发展。更糟糕的是，这阻断了新的能量进入内部，内部开始萎缩和消逝。曾经是学习者的领导者变成了另一个强硬的家伙。你可以在政治家、企业家和首席执行官身上看到这样的情况。他们在事业开始的阶段充满活力，但当他们关闭自己的心门，活力就渐渐消逝。结果是他们有了自己的边境卫兵——真正的卫兵或比喻性的——来控制对内部的准入。

有什么办法能让你保持开明、活跃和随和的心态吗?

第一，让自己的周围充满不怕对权势说真话的人。领导者需要那些能质疑他们，能向他们表达异见的人。然而，制度和管理会排斥那样的人。以行政助理或执行副总裁的形式存在的卫兵把不合意的人排斥在老板接触的范围之外。如果你是领导者，是否让他们进入你的生活或工作中，完全由你自己来决定。

第二，记得和真实的人接触。当乔治 ·H·W· 布什再次竞选总统的时候，有消息称他都不知道一加仑牛奶要多少钱。据说，他到一个杂货店，对看到的一台扫描仪表示万分惊讶。这个故事是真是假并不重要。重要的是，人们把他视为一个不知道平头百姓的生活是什么样的人。战胜“卫兵”的方法是一定要跨越“边境”。在社区餐厅匆忙扒几口饭，和一个普通客户一起用餐，自己接听电话——沃伦 · 巴菲特就是这样做的。

第三，不要忽略商业的情感方面。2002 年丹尼尔 · 卡内曼关于经济学的情感方面的著作使他获得了诺贝尔经济学奖项。现今，我们意识到商业并不只是数字和理性。情商对商业成功发挥着和原始智商一样的重要作用。然而不幸的是，并没有很多的商学院或企业教会领导者正确使用大脑的左右两侧。几乎没有首席执行官会花时间参加绘画课、音乐课或进行不同形式的沉思。

这未免太难了。因为如果你想让你的私人卫兵放下枪，可能你得拿起一支画笔或学会说流利的德语。

规则50 优点也会是弱点

约翰·多尔是他那一代人中公认的最有影响力的风险投资家。正因为如此，当我还在《哈佛商业评论》的时候，我认为他向我描述的那本书会是最有教育意义的商业类书籍，不过遗憾的是，他不打算将这本书写出来。

“我的办公桌上有全套旧式的商业计划书。”约翰说。他的嘴里溜出一串响当当的公司名字，那些公司都是他在克雷纳·帕金斯公司的时候投资过的公司，从康柏电脑开始。“在每个公司的案例里，你都可以找到用于描述他们独特商业模式优势的一句话或一段话。那可能会是他们独特的分销系统或零售模式。那是他们成功的要素。”然后约翰开始讲真正有趣的部分：“结果却是，最初成就他们的因素竟然成了后来让他们失败的因素。”

我跟约翰说，我并不知道风险投资行业的运作方式——但我想我应该能辨别出一本卓越的书籍和一篇极佳的《哈佛商业评论》的文章。那看起来就像是《哈佛商业评论》的最佳案例和一位老道投资家对创意从何而来的深度评论。6~10 个案例就可以组成一本引人入胜的书籍，讲述企业家之道——其中一个章节可以分给《哈佛商业评论》。

约翰还没写过那本书，当然——至少目前还没写过。

但我心中一直有这个想法。约翰认同的一个普遍原则具有现实意义，比“有攀升的时候也必将有回落的一刻”更深刻。即：让你成功的因素也可以是让你失败的因素。我开始把它看成一个普遍规则，可用于解释公司、行业，甚至国家的兴衰沉浮。

它能解释：当美国汽车行业面临突如其来的市场变化，人们纷纷青睐耐用而省油的进口车的时候，为什么其固有优势转变成了劣势。它也解释了为什么网络把美国报纸曾数十年引以为豪的优势变成了劣势。只要把约翰的原理应用于公司和行业，它就会变成一个典型的解谜游戏。今天的失败者，不管是哪个行业的，媒体、航空、零售、日用消费品——任何你说得出名字的行业——先是把自己独特的创意作为一个优势推向高潮，然后又作为一个劣势推向低谷。

如果它适用于公司，那么也适用于国家吗？国家的比较优势能轻易就变成比较劣势吗？如果基本的市场环境诸如能源、自然环境或全球金融突然崩溃，会怎么样？如果国际背景变化了，整个国家的生活方式会变成全国性的安全隐患吗？

感言

让我们再次把这个规则从国际转到个人角度。

对于你的工作表现，你的最大优点是什么？它可能会变成你的最大弱点吗？

这在政界是常有的事情，民调者称之为“语义分化”。这基本上是牛顿的第三定律在语言方面的应用：对于每一个肯定的特征而言，都有一个否定的特征与之对应。

比如，作为一个候选人，你的最大优势是智力和口才，对此，你的对手会竭力让选民认为你是一个只会说的精英。另一方面，如果你的最大优点在于你务实的态度，对普通选民颇具吸引力，那么，你的对手会把你描绘成一个文盲，无力胜任复杂的政治领导岗位。这有些像中国古语所说的“物极必反”。

你的另一面是什么？你有从别人的角度看待自己的能力吗——比如，从你的老板、对手或员工的角度？如果你可以在一张小卡片上写下自己的最大优点，你有可能把卡片翻过来，把自己的最大优点变成弱点吗？你能从这个练习中学到什么？

比如说，你最大的优点是聪明伶俐。那是天赋。你是一个学习天才、一个快速的创意合成器、一个稳定的创意机器。

现在考虑一下聪明的另一面。沾沾自喜？优越感？缺乏温情？

比如，你经常想竭力表现成屋子里最聪明的人吗？你只认同自己的主意？你曾赞美过同事的主意吗？还是运用你惊人的智力指出他们思维的缺陷并抨击他们的主意？你的同事如何看待你发挥智力的方式？你对他们构成威胁，还是他们珍惜与你共事的机会？

一旦你开始审视促使你成功的天赋，你就能看清它们可能会如何阻碍你的进步——甚至让你没落。

这样说的目的不是让你放弃自己的优点。即使当你发展了新的优点，它们也会有其“另一面”。这样说的目的是，一旦你看到了自己优点的两个面，就可以开始弥补暗面。你只需要那么一点点的自知之明，就可以保存力量。

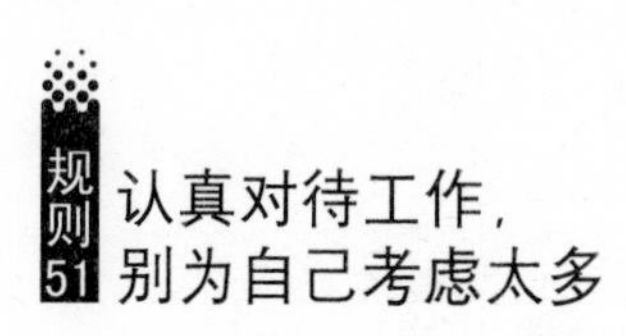

规则51 认真对待工作，别为自己考虑太多

我认识的每个人都认真对待他们的工作。你也许是一个木工、一个满怀激情的企业家、一个建筑系学生、一个德语教授。你也许正努力成为一个最好的室内设计师、景观设计师、承包商、出租车司机或咖啡调制师。认真的人认真地对待自己的工作，他们的努力对他们而言很重要，因为那是他们成功的根基所在。这对他们的朋友和家人也很重要，因为他们的朋友和家人要依靠他们。这对顾客、客户和同事也很重要，因为大家的前途都以某种方式连接在一起。

但是什么把那些我们想与之一起共事的人和那些我们想躲得远远的人区别开来？

关键不在于工作的重要性，不在于金钱，也不在于与名流交往的机会或高级职位。

区别在于人们的行为和举止。他们如何与你相见，他们在自己的生命中为你留出多少时间和空间。

感言

特德 · 莱维特领导《哈佛商业评论》的方式就证明了我的这一看法。特德认真对待商业，认真对待生意。他在哈佛商学院认真教书，对《哈佛商业评论》的工作也绝对认真。他只想与他同样热爱《哈佛商业评论》的人一起共事。

但是他对《哈佛商业评论》定义的文化纯粹是特德 · 莱维特式的："我们应该像一个意大利家庭那样，"特德说，"我们奋力拼搏，然后就去做爱！"

我们都想为认真对待工作的人效劳——他们不为自己考虑太多，他们容得下玩笑话，他们有时间讲故事，他们欣赏一些主意的混合搭配，而这样的主意往往只有那些精力充沛的团队才能产生出来。我们想为那些自信的人效劳，他们知道自己是谁，乐于承担开玩笑的风险。他们把别人带进自己的交友圈，并使之变得更大、更愉快，也更轻松。

工作是辛苦的，生命是短暂的。难道我们不应该对认真对待工作而感到欣喜吗？难道我们不应该对周围的愚蠢事件置之一笑吗？

规则52 人生处处有老师

我乘坐的飞机正飞越欧洲中部，我坐在机舱里听汉斯 · 莱兹讲他的故事。他出生于巴伐利亚的一个小村庄，家里有 6 个兄弟姐妹。他的母亲开了个小旅馆，当汉斯还是个孩子的时候他的父亲就去世了。

汉斯在十七八岁的时候看了电影《甘地传》后，他跟母亲说他不得不去印度。结果他真的去了印度，身上没带多少钱，可带着母亲的祝福。像流浪汉和探险者一样：他找了个师傅，用勉强糊口的收入活了下来。与穷人为伍使他明白了一切。他知道了什么是神秘的，什么是悲惨的。经过多年求索，他终于找到了自己一直在寻找的东西。

如今，汉斯创办的公司是欧洲最有创意的公司，他的客户中有世界上最大、最成功的公司。他实践了自己在印度学到的精神课程，捐一部分钱给社会企业家。其中一个项目是法兰克福机场的一个类似星巴克的咖啡企业。汉斯的员工在那里销售用印度咖啡种植园的咖啡豆做成的顶级咖啡。汉斯向咖啡农户购买咖啡豆的价格高于市场价，他还尽可能地多去种植园参观学习。

有一次在参观种植园的过程中，汉斯正跟农户交谈，看到树上有一群猴子在吃咖啡豆。猴子抢夺庄稼，令农户们遭受损失。该怎么办？汉斯问农户。拿枪把猴子打死吗？

农户告诉汉斯，“如果你开始射杀猴子，你后面的人生都会一直射杀猴子。”

我拿出一张卡片，把农户的话记下来。汉斯成了我的老师。

我与比尔·廖隔着长木桌面对面而坐，我听他讲故事。比尔·廖出生于墨尔本，目前在爱尔兰和瑞士之间穿梭来往。他说自己是42岁的老创业家，三次都没有考上中学：他对死记硬背深感厌烦。12岁那年，他就已经能安装电脑并进行编程了。2003年的时候，比尔深入钻研综合应用系统和社交网络软件，疯狂地在商界拓展联系。比尔在和一个朋友比较笔记的时候发现两人都非常讨厌传统的社交网站。传统的商业交往虽有所扩展，但仍无力提供足够多的机会，而这又正好左右着现实工作中的社交。他们决定建立某个更好的平台：Xing. com。

Xing成立后的第90天，公司开始出现正向现金流，而且那以后的每个季度都是如此。2006年，比尔在法兰克福把Xing上市了，其股价一路飙升。成为德国2006年IPO最成功的科技类公司。从那以后，比尔又把一系列其他网站收入囊中，他还把公益企业和慈善事业作为他的人生目标最高点。他最近的初创公司：Neo. org是一个公益型网站，目的纯粹是为了让世界变得更美好。

我问比尔他对社交网站的价值观有什么看法，它们如何经营？有什么优点？其核心价值观是什么？

“是这样的，”比尔说，他斜靠在狭长的桌子上，“连通就是效力。”

我从口袋里抽出一张小卡片记下他说的话。比尔成了我的老师。

感言

汉斯、比尔以及世界上任何其他人都可能是老师——而我们都是生活的学生。

你不能以外表来判断别人是否是杰出的老师。也不能以他们的英语水平、职业、教育背景、出生地点、居住地点、穿着、收入等作为判断的依据。

你的任务就是要对你听到的一切保持开明的心态，以及愿意倾听和学习的心态。或许某个你认为不起眼的人会在不经意间说出一句妙语，使你竖耳倾听，你会感觉自己的双眼之间仿佛被聪明棒敲击了一下。妙语甚至还可能从你的嘴里脱口而出，可能令你自己都惊叹不已，“真的是我说的吗？我是怎么说出来的？我还能说出妙语来吗？”如果你不倾听，就不会有这样的感觉。

你要保持警觉。你要留意。你要时刻准备，随身携带一些小卡片和一支笔，就像特德·莱维特那样。

你一生都要作好准备。准备学习、倾听，甚至是讲授。

这样，你会觉得每一天都更加珍贵。你的人生也会更加充实。

如果你活得够长、学得够好，这样的

心态甚至都会让你我以及我们大家都
变得更好。
最后一点感想。

这些不仅是52条金玉良言。最有益的规则不一定是我的。它们是你的，也是我的，还是我们大家共同总结出来的。

我们需要这些规则。我们处在一个前所未有的时代。经济形势每天都在发生变化，企业不断转型，老牌公司在瞬间消失，新公司也在瞬间产生，政治家让我们吃惊，每天都有新主角出现。

变化如同家常便饭。旧规则行不通了，大部分旧规则都没用了。剩下的小部分似乎不能适应我们工作和生活所面临的新形势。

我们需要一些新的金玉良言，而且随着竞争形势的变化，我们必须随时补充新的规则。

没有人知道所有的规则，全知全能在现实中也是不可能的。我们每个人都知道部分规则。当我们彼此分享知识的时候，我们每个人都会做得更好。

你会跟大家分享你的第53条规则吗？

你可以把它加进我们在 www. rulesofthumbbook.com
进行的对话。

请将你的反馈、评论和建议发到

alan@rulesofthumbbook. com。

告诉我们你是怎么学习这些规则的，怎样把它们应用在实际工作和生活中，它们对你有什么意义，以及你自己的看法。

为了创造美好的未来，最好的方式就是互相分享知识。或许你有我正想听的规则。通过分享你的规则，你将鼓励他人分享他们的规则。我们最终就能拥有一套全新的真理，一个适合我们目前和未来的工作和生活方式的准则。

道理就是这样的。

你也可以把这点作为一条金玉良言。

规则53 请将你的规则写在这里

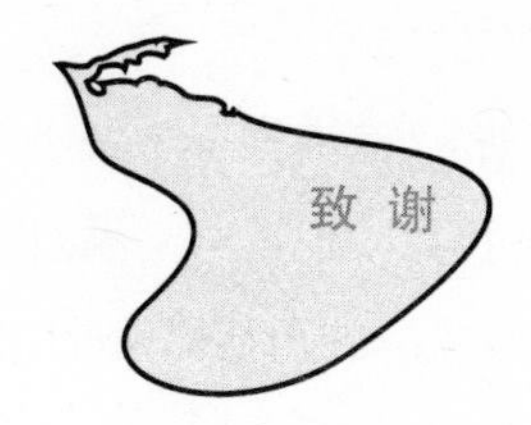

致谢

在本书的开始阶段，在一条规则都还没写的时候，我列出了所有我想在本书中作为老师、顾问、旅行同伴而提及的人名。如果我采用那个列表而不是规则作为本书的组织原则——就会写成“与杰出商务人士的碰面”之类的书——我就肯定会写出一本个人百科全书。有太多值得我感激的人，我有很多朋友，同他们的友谊让我成为世界上精神财富最丰富的人之一。

在这里，我无法一一提及。请放心，如果你的名字没在本书中提到，我会在见到你的时候当面表达我的谢意。

让我们从理查 · S · 松开始，他是一个杰出的代理商，一个值得信赖的律师、顾问、朋友，以及可靠的编辑指导。没有理查，就不会有《金玉良言》；他不仅为本书命名，也促成了本书的写作。

霍林斯 · 海姆鲍奇带来了无限的热情、活力以及鼓舞，她对本书的认同非常重要。本 · 斯坦伯格一贯表现出对本书所述实际领导力的真知卓见，并用他那精准的眼力审视书稿的每个词，同时提出准确的修改建议。

怎样才能列出所有人的名字并感谢他们对一本用60年时间写成的书的贡献？现小结如下：

感谢我在阿默斯特学院的同学，特别是制作《阿默斯特学生》的团队，那是《快公司》杂志的测试版——尤其是理查 · 米克和罗伯特 · 那斯安，他们40年以后都还继续对我的文章和思想进行评论，使我受益匪浅。

感谢尼尔 · 格尔德施米特、波特兰市府团队的所有成员以及那个转变了波特兰的基层运动——特别是罗恩 · 比尔、比尔 · 斯科特、滨、卡罗琳 · 谢尔顿、莱恩 · 伯格斯坦、道格拉斯 · 莱特，以及维拉 · 凯兹——还有《维拉麦特周报》的优秀生，特别是彼得 · 希丝卓姆、苏珊 · 奥尔琳、菲尔 · 凯丝琳，以及托尼 · 比安科。

感谢哈佛商学院的同事，使我有机会接触汽车行业，为我的人生开启了新篇章——马尔 · 索尔特、戴维斯 · 戴尔、约翰 · 麦克阿瑟——还有在《哈佛商业评论》努力工作的人们，包括领导特德 · 列维特，还有南 · 斯通、伯尼 · 阿维赛、罗伯特 · 霍华德、汤姆 · 缇尔、杰瑞 · 维利根等杰出人才。

感谢《快公司》的超级巨星们——从比尔 · 泰勒开始，还有帕特里克 · 米切尔、比尔 · 布莱恩、琳达 · 赛普、波莉 · 拉巴尔、克里斯蒂娜 · 诺维基、道恩 · 纳多、吉纳 · 伊皮偌特、安娜 · 莫伊欧，以及其他一些好朋友。

感谢那些在奥地利 Waldzell 会议上认识的新朋友——恩斯特、安德里亚 · 斯科丹、托马斯 · 普洛森德尔、安德列亚斯 · 撒切尔，以及甘德鲁 · 斯恰兹。

感谢遍布斯堪的纳维亚的 KaosPilots 学校、坦桑尼亚的“发明家”、旧金山的创意伙伴、布鲁克林的足球伙伴、圣达菲的咖啡茶话会友人以及查科大峡谷的探险家，还有日本的商业革新者和圣保罗的心灵之家。

我对你们与我分享的经验和谆谆教诲感激不尽。

感谢弗朗西斯、亚当、阿曼达：你们知道那条“先提最后一个问题”、“知道工作的目的”的规则吗？如果你们还不知道，那么你们就是问题的答案。